外伝　沖縄映画史
幻に終わった作品たち

世良利和

ボーダー新書
020

はしがき

映画の製作企画というのは頓挫しやすいものです。製作が発表されながら、いつの間にか立ち消えになった企画、雑誌や新聞に脚本あるいはシノプシスが掲載されるだけに終わった企画、監督やカメラマンがロケハンまで行ったにもかかわらずお蔵入りとなった企画、さらには撮影台本が配布され、撮影スケジュールも決まっていながらクランクイン直前で流れてしまったケースなど、幻に終わった製作企画は数えきれません。

一般に映画製作には多額の資金とさまざまな設備・機器、大勢のスタッフやキャストが必要となるだけでなく、製作のタイミングや映画会社を取り巻く環境の変化、時局にも大きな影響を受けます。また戦前・戦中の日本には映画の検閲制度がありましたが、戦後のGHQ統治下でも実質的な検閲や製作する側の忖度による自主規制が行われていました。そのほか社会的良心や民意を標榜する立場からの圧力も、映画製作にとってはしばしば障害となります。こうしたいろいろな問題にぶつかり、足を引っ張られて映画企画は潰れてしまいます。

沖縄での製作や撮影が予定されていながら、結局は実現に至らなかった映画も、戦前戦後を通じて数多くあります。前著『沖縄劇映画大全』をまとめるための資料調査をしている時から、私は製作に至らなかった沖縄関連映画のことがずっと気にかかっていました。映画史において取り上げられるのは、当然ながら完成され、公開された作品が中心ですから、実現しなかった幻の映画企画にスポットライトが当てられることはほとんどありませんし、人々の記憶にも残りません。けれどもそうした企画の意図や内容、あるいは幻に終わった経緯、背景などをたどっていくと、製作サイドの事情だけでなく、思いがけない人間関係や当時の世相、社会情勢などが垣間見えてくることがあります。

戦前戦後も本土復帰以降も含めて、沖縄をめぐる映画の製作・興行・受容の歴史については、調査や資料的裏付けが不足しています。映像が確認できない作品や情報が欠落した空白の時代も少なくありません。たとえば沖縄で最初に映画が撮影された時期や場所、その内容についても、まだはっきりしたことがわかっていないのです。もっと資料や映像の発掘、関係者への聴き取りといった基礎調査に力を注いで、沖縄の映画史を多様な角度から検証するための環境を作り、個々の分析を深めることが望まれます。

■■■

本書では構成の便宜上、記述する時代を「戦前戦中」「米軍統治下」「本土復帰後」の三つに分けた上で、完成し公開された表の映画史とは異なる、いわば裏の視点から沖縄と映画をめぐるエピソードや周辺の事情について探ってみました。ただし、対象としたのは幻に終わった企画がほとんどですから、映像はもちろん、手がかりとなる資料もあまり見当たりません。従って調査は主に、沖縄で発行されてきた新聞や雑誌から情報を拾い、企画段階のシノプシスや準備台本が残されていればそれを探して参照するとともに、関係者への聴き取りも一部行いました。裏から眺めるからこそ、新たに見えてくることもあるのではないでしょうか。本書を通じて少しでも沖縄映画史に関する研究の裾野を広げることができればと思います。

目次

第二章　米軍統治下　57

外伝　沖縄映画史　幻に終わった作品たち

第一章　戦前・戦中

第一話　大日方傳と新垣芳子の恋愛映画

戦前の沖縄で、本土の大手映画会社が本格的なロケを行った最初の劇映画（物語映画）は、『オヤケアカハチ　南海の風雲児』（一九三七）だと考えられます。これは東宝の前身の一つである東京発声が、八重山出身の詩人・伊波南哲の叙事詩を原作に企画したものです。それ以前に日活の向島撮影所で製作された『悲劇百合子　前編』（一九一三）や京都の新興キネマで製作された『敵艦見ゆ』（一九三四）では、沖縄が物語の舞台となってはいるものの、現地ロケは行われませんでした。

『オヤケアカハチ―』のロケ隊は、総勢七〇～八〇名という大規模なもので、東京の撮影所がそのまま沖縄に臨時移転した観があったようです。当時の沖縄の新聞にも「南島の一角に『映画街《ハリウッド》』出現！」という見出しが躍り、主演の藤井貢やヒロインの市川春代らス

辻で開かれた「オヤケアカハチ 南海の風雲児」のロケ隊招待宴
（那覇市歴史博物館提供、『大琉球写真帖関連』より）

ター俳優の来沖が大きな話題を呼んだことがうかがえます。

この時、やや遅れてロケ隊に合流した一人の幹部俳優がいました。日活や松竹蒲田の映画で活躍した後、東京発声の設立に参加した青春スターの大日方《おびなた》傳《でん》です。一九三七年一月に那覇の辻遊郭で開かれたロケ隊招待宴の集合写真が残っていますが、そこにも大日方の姿が確認できます。ただし彼はアメリカ外遊から帰国したばかりで、『オヤケアカハチ―』への出演は予定されていませんでした。では沖縄での長期ロケの間、大日方は一体何をしていたのでしょうか？

戦後に再び来沖した大日方は、『オキナワグラフ』の一九五八年五月号に「新垣芳子の想い出」という短いエッセイを寄稿しています。それによれば、東京発声では『オヤケアカハチ―』の撮影とは別にもう一本、大日方の主演作として現代モノの恋愛映画が企画されていたということです。

『オヤケアカハチ―』の脚本を担当した八田尚之は、事前のロケハンで来沖した際に「現代劇も一本撮るかもしれない」と述べていました。企画がどこまで具体化されていたかは不明ですが、これが大日方の主演予定作だったと思われます。しかし現場では『オヤケアカハチ―』の撮影が優先され、大日方の相手となる沖縄娘役の女優が確保できません。そこで浮上したのが、当時十九歳だった沖縄の舞踊家・新垣芳子を起用する案でした。

先述の「新垣芳子の想い出」によれば、彼女は沖縄県知事・蔵重久が催したロケ隊歓迎の宴席で踊りを披露し、本土の映画人たちを魅了していたそうです。さらにその背景として、前年の一九三六年五月に折口信夫らの斡旋で行われた、新垣松含や玉城盛重らによる日本青年館での琉球芸能公演を挙げることができるでしょう。この公演では、父・松含に同行した芳子も舞台で「鳩間節」などを踊り、その美しさが大きな注目を集めています。

映画出演の打診には大日方が自ら出向き、二階に稽古場のある芳子の家を訪れました。いけれども芳子は大日方からの出演依頼を断りました。踊りは父から仕込まれましたが、い

鳩間節を踊る新垣芳子
（『月刊文化沖縄』第1巻第4号、不二出版復刻版より）

きなり自信のない仕事はできません——概ねそういう答えだったそうです。結局大日方の主演作は着手に至らず、たとえ芳子が出演を承諾していても映画は撮られなかった可能性が高いでしょう。そして芳子は一九四〇年に二十一歳の若さで世を去ります。

しかしながら芳子や妹・澄子（後の比嘉澄子）が指導に関わった、日劇ダンシングチーム（後の東宝舞踊隊）による琉球舞踊を取り入れた「琉球レビュー」や「八重山レビュー」は本土で人気を集め、また沖縄ロケが行われた東宝（当初は南旺映画）の『白い壁画』（一九四二）には澄子の踊る場面が挿入されました。そして沖縄を描く戦後の本土映画では、ヒロインが琉舞を披露するというのが一つの定番となっています。新垣芳子と大日方傳の映画共演は実現しませんでしたが、本土の琉舞ブームや映画における沖縄女性のイメージ形成において、芳子が与えた影響は大きかったと言えるのではないでしょうか。

ところで後日芳子とピクニックに出かけたという大日方は、二人の間に「そこはかとない恋情に似たものがあったように思う」と述べています。もちろん真偽はわかりませんが、その一方で大日方はこの沖縄滞在中にもう一人の女性と出会っています。それが辻遊郭にいた金春ツルこと上間郁子でした。

上間は戦後、女だけの「乙姫劇団」を率いましたが、大日方との縁は劇団創立十周年映

新垣澄子（右）と東宝舞踊隊の巌きみ子、葉村みき子
（『月刊文化沖縄』第2巻第4号、不二出版復刻版より）

画『月城物語』（一九五八）と『山原街道』（一九五八）となって実を結びました。大日方が監督したこの二本の映画は幻ではなく、現在も映像を見ることができます。

第二話　山本嘉次郎の島恋い

八重山出身の安室（北村）孫盛らが中心となって製作した『ニライの海』（一九六三）というドキュメンタリー映画があります。本土復帰をめざす立場から米軍統治下の沖縄を描いた作品ですが、監修にはなぜか山本嘉次郎《かじろう》の名前がクレジットされています。嘉次郎は戦前から日活や東宝で活躍した映画監督で、代表作に『藤十郎の恋』（一九三八）、『馬』（一九四一）、『ハワイ・マレー沖海戦』（一九四二）などがあります。ちなみに後に大監督となる黒澤明は『馬』で嘉次郎の助監督を務め、ヒロインの少女に扮《ふん》した高峰秀子との間にロマンスが生まれました。

話を『ニライの海』に戻しますが、この映画の撮影を担当した宮島義勇《よしお》によれば、嘉次郎は実際には製作に関わっておらず、単に名義を借りただけなのだそうです。その嘉次郎は一九四一年ごろに、沖縄で映画を撮る企画を温めていました。嘉次郎が『馬』を撮影していた時、沖縄で『月刊文化沖縄』を編集発行していた本山豊（裕児）が上京し、東宝の撮影所を訪ねています。嘉次郎と本山は関東大震災後に東京から関西へ移り、ともに二〇代前半の若い映画監督として東亜キネマ甲陽撮影所に所属した仲でした。（『月刊文化沖縄』については第四話で詳述）

二人は再会を機に沖縄で映画を撮ろうという話で意気投合し、同年六月号の『月刊文化沖縄』に「琉球の映画」という嘉次郎の一文が掲載されました。琉球に残る日本古来の美が滅びつつあることを憂う嘉次郎は、その美を再認識して非常時局下の日本に役立たせたいと述べています。彼が構想していた物語のあらすじは、次のような内容でした。

「琉球芸能の衰退を惜しむある人の激励により、踊りの家元である若い姉妹が島々を訪れて歌と踊りを採集した。姉はそれを来沖した日劇の人々に伝え、東京で新たな形式となって花開く。だが姉は病没し、妹はその墓前に東京での成功を報告する……。」

この姉妹のモデルは、本書第一話でも取り上げた新垣芳子・澄子と見て間違いないでしょう。翌七月号の『月刊文化沖縄』で本山は、企画が会社に通ったので沖縄を訪れて一か月滞在しながらシナリオを書くことになった、という嘉次郎からの通知が届いたことを報告しています。しかしながら嘉次郎による沖縄映画の企画は、太平洋戦争の勃発で流れてしまいました。彼は来沖を果たせないまま、『ハワイ・マレー沖海戦』（一九四二）や『加藤隼戦闘隊』（一九四四）といった、国威発揚の戦争映画を監督することになったのです。

戦後、嘉次郎は東宝初のカラー映画『花の中の娘たち』（一九五三）を手がけました。これは監督だけでなく、製作や脚本も嘉次郎が自ら兼ねた作品でした。その中で沖縄での仕事を紹介された電気技師が、結婚していっしょに行こう、と恋人を誘う場面があります。実際に沖縄が出てくるわけではありませんが、この設定には戦時下で実現しなかった沖縄での映画撮影に対する、嘉次郎なりの思いが込められていたのではないでしょうか。

また余談ながら、戦後の沖縄で「琉球の声放送」のアナウンサーを務めた川平朝清が、一九五二年に上京してＮＨＫのアナウンサー養成講習に参加した際、講師の一人に山本嘉次郎がいて映画の講義を行っています。

その後も嘉次郎は、チャンスがあれば沖縄の映画を撮りたいと考えていたようです。というのも、一九六五年一月十二日付の『琉球新報』夕刊に、「島恋い」と題された嘉次郎のエッセイが寄稿されているからです。

嘉次郎はそこで最初に挙げた『ニライの海』に触れながら、戦後日本の沖縄に対する無知無関心を嘆いています。彼自身が沖縄に強く惹《ひ》かれるようになったのは、「いまから

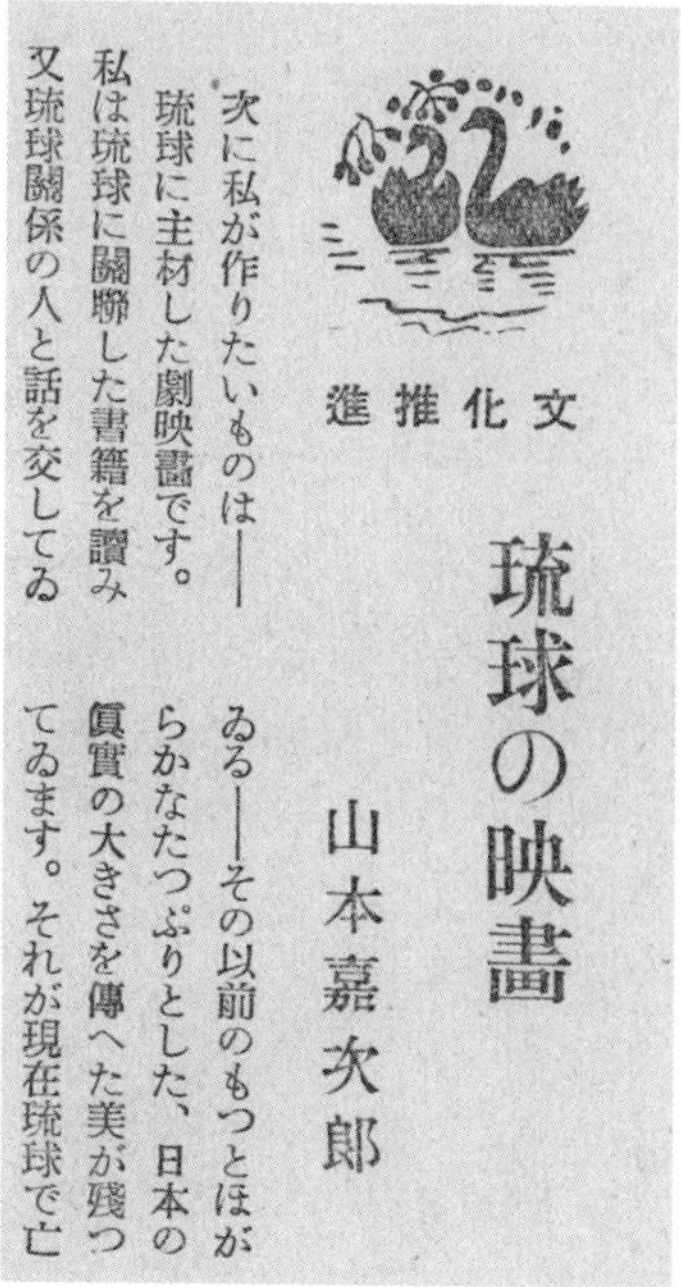

文化推進

琉球の映畫

山本嘉次郎

次に私が作りたいものは――
琉球に主材した劇映畫です。
私は琉球に關聯した書籍を讀み
又琉球關係の人と話を交してゐ

ゐる――その以前のもつとほが
らかなたつぷりとした、日本の
眞實の大きさを傳へた美が殘つ
てゐます。それが現在琉球で亡

山本嘉次郎が書いたコラム「琉球の映画」の見出し
(『月刊文化沖縄』第2巻第5号、不二出版復刻版より)

三十年ほどまえ、有楽町の日劇で、二人の美しい沖縄の姉妹の歌を聞き踊りを見て」魅了されてからだということです。先に紹介した映画企画のプロットも、その時の経験から生まれたものなのでしょう。

彼が実際に新垣姉妹の舞台を見ていたかどうかは検証が必要ですが、それはともかく、嘉次郎は沖縄に寄せる思慕と情熱は未だ衰えないと宣言し、「今後、沖縄の映画をとるならば『オヤケアカハチ』のような民族の叙事詩を歌い上げたい」と述べています。

「オヤケアカハチ」の再映画化は、安室孫盛らが『ニライの海』の元の企画である「大琉球」と並行してもくろんでいました。おそらく嘉次郎もその動きを知っていたはずです。「オヤケアカハチ」の企画については、本書第二十七話であらためて取り上げますが、結局映画化は実現していません。

そのほかにも嘉次郎は、自分が持っていた黄色い紅型《びんがた》をヒロインに着せて映画を撮りたい、とも述べていました。残念ながらこちらも実現しておらず、戦前からの彼の「島恋い」はすべて片思いに終わったことになります。

第2話　山本嘉次郎の島恋い

第三話　馬上太郎の「沖縄の姿」

一九四〇年一月七日付の地元紙『沖縄日報』には、映画の原作を募集する懸賞広告が出ています。「沖縄の姿」という仮のタイトルが示され、募集要項には「現代時代を不問、沖縄の全貌を網羅したるストリー《ママ》にて美化表現したる興業的価値の大なるもの」とあります。東亜新秩序建設というスローガンのもと、従来の「誤解された沖縄」ではなく「真の沖縄の姿」を描くことが求められています。威勢よく南方侵略の旗が振られていた時代に迎合し、その拠点としての沖縄の位置と歴史を意識したものと言えるでしょう。

賞金は一席三〇〇円など、総額で六〇〇円でした。郵便ハガキが二銭、総理大臣の月給が八〇〇円の時代ですから、三〇〇円は現在なら一〇〇万円程度の価値があるでしょうか。募集したのは、馬上太郎が主宰する「沖縄文化映画研究会」でした。具志頭村《ぐしちゃんそん》玻名城《はなしろ》（現在は八重瀬町）出身の馬上は、小学校教師や銀行勤務などを経て、一九三三年から那覇市西本町（現在の西一丁目付近）に旭館という映画館を経営していました。「沖縄の姿」の原作を懸賞募集した当時は、東宝の封切館として業績も好調だったようです。

馬上は一九四〇年四月に上京し、東宝と打ち合わせを行いました。そして伊江朝助《ちょうじょ》男爵や沖縄学の祖・伊波普猷《ふゆう》、日劇の秦豊吉らの発起による「沖縄文化を語る夕」に招かれ、「沖縄の姿」の映画化が実現する見通しを報告しています。

また五月七日付の『沖縄日報』は、東宝の製作部長・森岩雄と次長・渾大防五郎《こんたいぼう》に会って映画製作の確答を得た、という馬上の帰県談話を掲載しました。懸賞の審査員には東宝側から森と渾大防が名前を連ね、沖縄側には馬上のほか、山城正忠、島袋源一郎、志喜屋孝信、又吉康和といった文化人の名前が見えます。

原作募集は五月三十一日に締め切られましたが、応募は少なく十三点にとどまりました。そして六月十五日には、波之上の見晴亭で第一回の審査委員会が開かれています。最終審査は九月七日に辻遊郭の三杉楼で行われ、十二日の新聞に「募集趣旨に添い映画化するに適当なる原作無き為、何れ改めてこれを求める事になりました」という残念な結果が発表されました。三席までの入選には該当作がなく、新垣庸一ら七名が「選外佳作」として金一封の対象となっています。

『月刊文化沖縄』を編集発行していた本山豊は、馬上太郎による映画企画「沖縄の姿」の原作募集について、同誌の創刊号以来、何度も触れています。通巻二号では応募作の少なさに苦言を呈し、集った作品を「貧弱で、無気力」と切り捨てていました。すでに仲程昌徳が著書『雑誌とその時代』で指摘しているように、本山は審査員ではなかったにもかかわらず、結果発表以前に応募作を読んでいたことになります。

こうした本山の反応の背景には、馬上との関係の深さだけでなく、本土で映画監督だったというプライドや、審査員を含む沖縄の文壇・文化状況に対する苛立ちがあったのではないでしょうか。また確証はありませんが、もしかすると選外佳作の一人となった「杜聖林雄」は、本山の変名だった可能性もあります。

続く同誌通巻三号には「沖縄の姿」の審査発表座談会が掲載されています。集まった応募作に対する審査員の評価は厳しく、最後に馬上が「私が良いように案をたてて適当な人へ書かせる事にしますから」と締めくくっています。その後、映画の原作がどうなったのかはっきりしませんが、馬上は本山を参画させて引き続き東宝側と交渉したようです。けれども映画化は実現していません。

この時期の日本は、映画法施行などによって映画の製作、配給、興行をめぐる統制が強

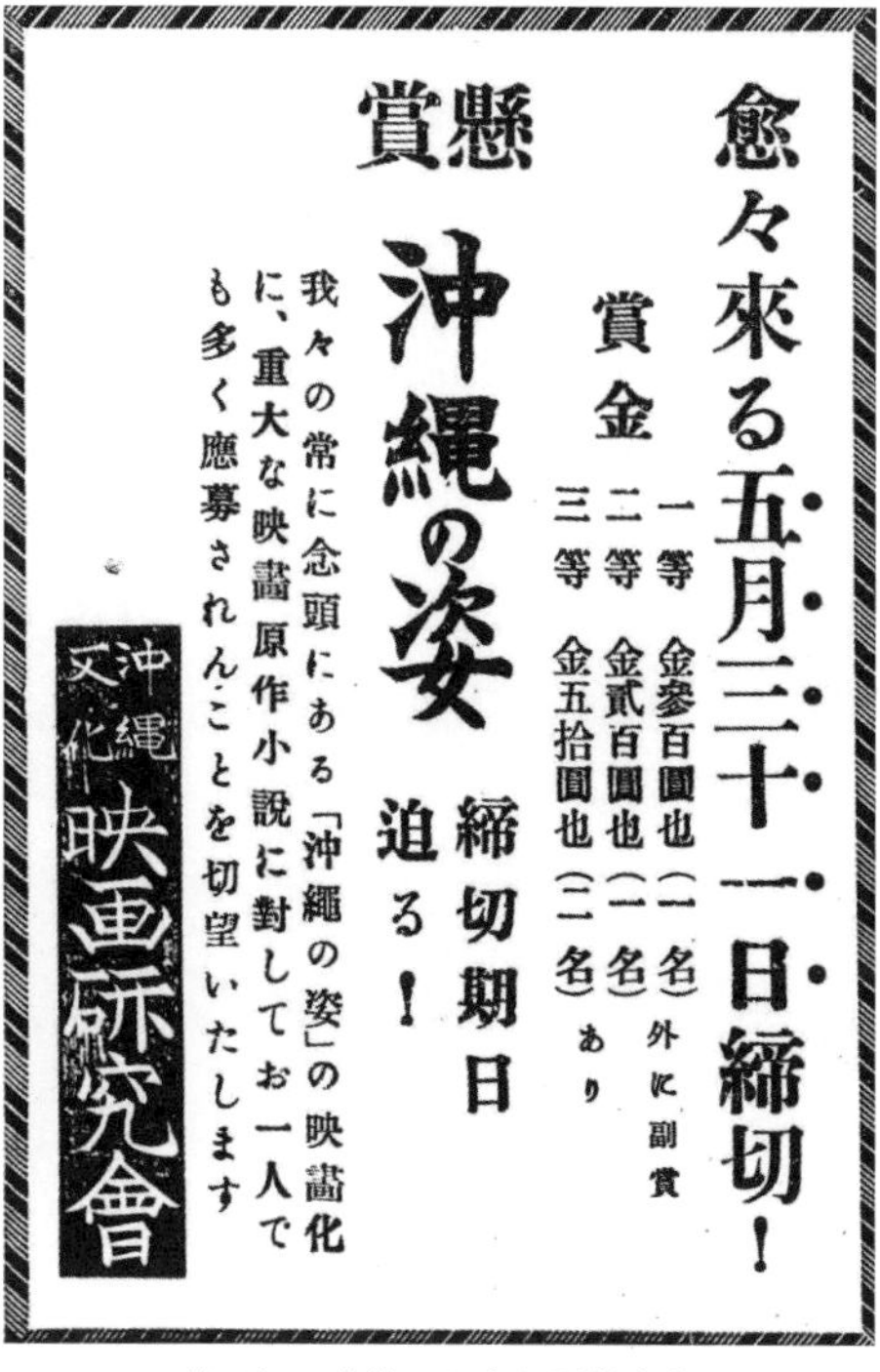

締め切り直前にも出た懸賞広告
（1940年5月24日付『琉球新報』）

化され、大手各社の統合と映画の国策化が進められていました。その一方で、『龍宮の幻想』（一九三九）や『琉球の民芸』（一九四〇）といった、沖縄に取材した文化映画が相次いで公開されています。それぞれに独自の製作意図があったにせよ、日劇の琉球・八重山レビューの人気も含め、そこには沖縄を拠点としてさらに南へと向かう帝国主義的な欲望が映し出されていたと思います。

この傾向は本山が協力した『海の民　沖縄島物語』（一九四一）において一層あらわとなり、糸満の海人や女たちが海洋民族の模範として描かれています。また第一話で触れた東宝の沖縄ロケ作品『白い壁画』（一九四二）にも、南方発展という侵略的なメッセージが込められていました。国を挙げて南進の旗が振られ、映画界がこぞってこれに迎合する中、沖縄の一地方館主に過ぎない馬上の企画は、時代の大きな流れに呑《の》み込まれてしまったのでしょうか。

馬上が那覇市西本町で経営していた旭館
（那覇市歴史博物館提供）

第四話　本山裕児の黒糖映画

馬上が「沖縄の姿」の製作を企てていたころ、本山豊（裕児）は、黒糖に関する文化映画を構想していました。これまでにも何度か本書に登場している本山は、佐敷小学校長などを務めた佐賀県出身の本山満吉の長男として、沖縄で育ちました。上京して京北中学から東京美術学校に進みますが中退し、その後は新劇の丹青座、アニメーションの北山映画、日活の向島撮影所などを短期間のうちに転々としたようです。

そして関東大震災後に関西へ移り、兵庫県の西宮に設立された東亜キネマ甲陽に入社して、一九二四年には監督昇進を果たしています。ちょうど日本映画の父・マキノ省三が同社の撮影所長に就任した年でした。

監督としての本山は「裕児」を名乗っています。『映画年鑑』などの資料によれば、本山は一九〇〇年（もしくは一九〇一年）の生まれですが、出身は「博多」となっており、沖縄との関係をうかがわせる記述は見当たりません。監督した作品はいずれも現存が確認できず、加えて東亜キネマ自体も経営体制が変転しているため、本山がいつまで在籍していたのかはよくわかっていません。また本山は一九三一年ごろに渡欧していたと見られ、一九三八年には沖縄で月刊琉球社に入社しています。

一九三八年六月発行の『月刊琉球』第二巻第六号は、本山が司会を務める「金儲け座談会」を掲載していますが、その出席者には平和館の尾花仲次と旭館の馬上太郎という、那覇で映画館を経営する二人が含まれていました。

本山裕児（『月刊文化沖縄』第3巻第2号、不二出版復刻版より）

そして本山は一九四〇年八月、作家の石川文一、画家の金城安太郎とともに『月刊文化沖縄』を創刊します。本山が編集発行を担当した時期の同誌は、映画、演劇、芸能に関する記事の比重が高いという特徴があります。馬上の映画製作企画をめぐっても、本山から馬上への働きかけがあったのではないでしょうか。

一九四一年一月発行の『月刊文化沖縄』通巻

六号の「編集の弁」で本山は、自分が長く映画界にいたことや、映画法に定められた監督の技能登録を済ませたことを報告し、新たな映画の製作に意欲を見せていました。そして続く通巻七号の「蛙鳴蝉噪」という自身の常設コラムの中で、「本県民の生命とも云うべき主要物産たる『黒糖』に関する」文化映画製作の決意を述べ、東宝と馬上の「好意《ママ》」に感謝を表明しています。

この「文化映画」というのは一般に、ドイツのウーファ社による"Kulturfilm"の訳語とされています。大日本帝国が映画統制の手本としたのもナチス政権下のドイツでしたが、戦時体制下にあってこの文化映画が脚光を浴びた理由はいくつかあります。まず、セットやロケなど莫大《ばくだい》な予算を消費して製作される一般の劇映画とは異なり、文化映画は基本的に製作費が少なくて済みます。一作あたりのフィルム全長も短く定められ、フィルムを含む物資窮乏の時代に適合していました。そして国防や産業、学芸、衛生といったテーマの中で、国民の教化啓蒙《けいもう》や国民精神の涵養《かんよう》といった、プロパガンダ的な役割も期待されていました。

その流れはまた、消費的・享楽的とされる都市生活に対して、生産的・質実的な農山漁村の生活や環境を称揚する国策的立場とも通じ、文化映画による郷土の自然や文化、歴史

黒糖と文化映畫

文化映畫の意義と製作

—本山裕兒—

本山の論考「黒糖と文化映画」
（『月刊文化沖縄』第2巻第4号、不二出版復刻版より）

の再発見が行われたのです。しかも文化映画は製作が奨励されただけでなく、ニュース映画とともに映画館での上映枠が義務づけられたため、大手の映画会社もこのジャンルに力を入れることになりました。本山による黒糖映画の企画は、こうした時流に沿うものだったと言えるでしょう。

『月刊文化沖縄』通巻七号では、多忙な本山に代わって東京支社の前澤末彌が「編集の弁」を書き、映画企画「沖縄の姿」と「黒糖」の最終打合せのため、本山が馬上と一緒に三月中旬の上京を準備中、と伝えています。

さらに同誌通巻九号には「黒糖と文化映画」と題する本山の短い論考が掲載されています。その中で本山は、文化映画の由来と定義を紹介した上で、この時期に相次いで公開された『蛇皮線の國』(一九三九)など本土の映画会社が製作した四本の沖縄関連文化映画について、「必要以上の猟奇的問題を狙」ったものだと批判しました。

そして本山は自身の企画の意義を強調し、県内の黒糖生産の状況、重要性、栄養価などについて説明を加えています。おそらくこれが本山の撮ろうとした映画のコンセプトだったのでしょう。そして巻末の「編集の弁」では、黒糖映画に「砂糖造る島」という仮題をつけ、当年の製糖期が終わる前に撮影すべきプランの打ち合わせで上京する、と述べています。しかし本山の企画もこれ以上は進展しないまま、馬上の「沖縄の姿」とともに姿を消してしまいます。

第五話　戦前の大型映画館計画

一九三〇年代の半ば以降、那覇市内の映画館は百貨店「圓山号《まるやまごう》」のオーナーでもあった尾花仲次の平和館と、具志頭村出身の馬上太郎が経営する旭館が競合していました。どちらも当時の西本町にあり、観客の獲得をめぐってお互いにしのぎを削ったのです。

松竹、日活、新興キネマといった本土大手の配給する邦画・洋画はすでに平和館が押さえており、新規参入の旭館は宝塚映画や大都映画など、二流どころと契約せざるを得ませんでした。そのため当初旭館は興行的に苦戦したようですが、後には東宝や極東映画、全勝《ぜんしょう》キネマなどの作品をラインナップに加え、平和館と同じく洋画も上映して業績が好転し始めました。

沖縄の映画興行に詳しかった山里将人は、幼いころによく父親に連れられてこの両館で映画を観たそうです。建物や設備も含めて平和館の方が格上だったため、父親と乗った人力車が旭館に向かうと、ちょっとがっかりしたといいます。やがて一九四四年十月十日の那覇大空襲で両館ともに焼失し、那覇市における常設映画館の繁栄時代はいったん終わりを告げました。

ところで両館が競い合っていた一九三七年ごろ、旭館の馬上は那覇市西新町（現在の西二丁目付近）の新しい埋め立て地に「太陽館」（「大洋館」の表記も残る）という映画館の新築を計画していました。馬上は雑誌『月刊琉球』第二巻第六号掲載の「金儲け座談会」（第四話にも登場）で「その付近に大公園が出来ますので、あの辺を那覇市の歓楽境にする計画です」と述べています。新しい映画館の収容予定人数は一五〇〇人とも二〇〇〇人とも言われていました。既存の旭館が五〇〇人、平和館が一二〇〇人程度だったことを考えれば、当時の沖縄の映画館としてはかなり大きな規模をめざしていたことになるでしょう。

馬上太郎（『月刊文化沖縄』第1巻第1号、不二出版復刻版より）

一方の尾花も負けていません。馬上の計画に対抗するため、「第二平和館」の新築を考えていたようです。しかし一九三七年七月七日、中国で起きた盧溝橋《ろこうきょう》事件が引き金となって、いわゆる支那事変が勃発し、日本は中国との泥沼の戦争へと足を踏み入れます。その影響で両館ともに資金調達などが戦時統制を受けたと見られ、準備は整えられていたものの建設計画は凍結を余儀なくされたのです。以後の戦時体制下では、那覇に新たな映画館が建てられることはありませんでした。

尾花が那覇市西本町にて経営していた平和館
（那覇市歴史博物館提供）

第六話　鈴木傳明の『海人』、琉球へ？

一九二六年六月二十九日の『読売新聞』には「傳明が琉球へ　『海人』を撮影に」という見出しの記事が出ています。この情報を教えてくれたのは、ロンドンに留学中だった映画研究者の藤城孝輔《ふじきこうすけ》でした。記事の内容は「近藤伊與吉共演の海洋大活劇『海人』は松竹蒲田が今夏中の大作として力を入れ風浪の荒い海洋を舞台として男性美を発揮させる筈であるがそれが為《た》めロケーションには琉球までも押出すとあり……」というものです。

明治大学出身の鈴木傳明は、学生時代に水泳選手として活躍した経歴を持っています。そしてスポーツ万能が売りの青春スターとして人気を集め、一九二五年には日活から松竹に引き抜かれて大きな話題となりました。

『海人』（一九二六）は主役の傳明が自ら脚色・監督まで手がけた海洋神秘大活劇で、南国篇と都会篇に分けて公開されています。ただし、タイトルは「うみんちゅ」ではなく

「あま」と読みます。南国篇では、呪われた船に乗る主人公が港町に立ち寄り、恋人を得ます。ところが彼は恋人の父親を殺した犯人に仕立て上げられ、自らも銃弾を受けながら海中へと姿を消しました。続く都会篇では、名前を変えた主人公が自分を陥れた犯人を見つけて恋人を救出し、復讐を果たすという物語です。

この作品はフィルムが現存しないため、物語の内容は雑誌に掲載されたあらすじや作品評で確認するほかはありません。そこには「沖縄」「琉球」といった言葉は出て来ませんが、南国篇の舞台そのものが沖縄という設定だった可能性があります。また「リヒャルト・ワーグナー原作」とあるのは、呪われた船のイメージや冒頭の展開が歌劇『さまよえるオランダ人』を模倣しているためでしょう。

一九二六年七月四日発行の『蒲田週報』第五十六号も「ロケーションは南支那沿岸地方の港や琉球の港と町と決定し」と報じており、当初は沖縄ロケが予定されていたと思われます。しかし同誌の「スタヂオ通信」などでその後の撮影進捗《しんちょく》状況を確認すると、海上ロケは銚子沖や石巻の金華山などで行われ、他はセット撮影となっています。残念ながら沖縄でのロケは幻に終わったようです。

第七話　溝口健二の『浪花女』

　日本映画史にその名を刻む巨匠・溝口健二監督は、一九三〇年代末から一九四〇年代初頭にかけて、いわゆる「芸道三部作」を撮っています。歌舞伎の二代目・尾上菊之助の下積み時代と身分違いの悲恋を描いた『残菊物語』（一九三九）、人形浄瑠璃の世界を舞台にした『浪花女』（一九四〇）、そして歌舞伎の初代・中村鷹治郎の追善的伝記作品『芸道一代男』（一九四一）の三作品です。

　ただし、フィルムが残っているのは『残菊物語』だけで、あとの二作品はすでに失われたとされています。このうち『浪花女』は脚本が残されており、坂東好太郎が義太夫三味線の名人・団平に扮し、命がけで芸に打ち込む姿や、田中絹代演じる妻・お千賀との葛藤が描かれていました。溝口が撮り上げた人形浄瑠璃の世界は、公開当時に劇評家で文楽に詳しい三宅周太郎から「一応の考察が行届いている」とお墨付きを得ています。

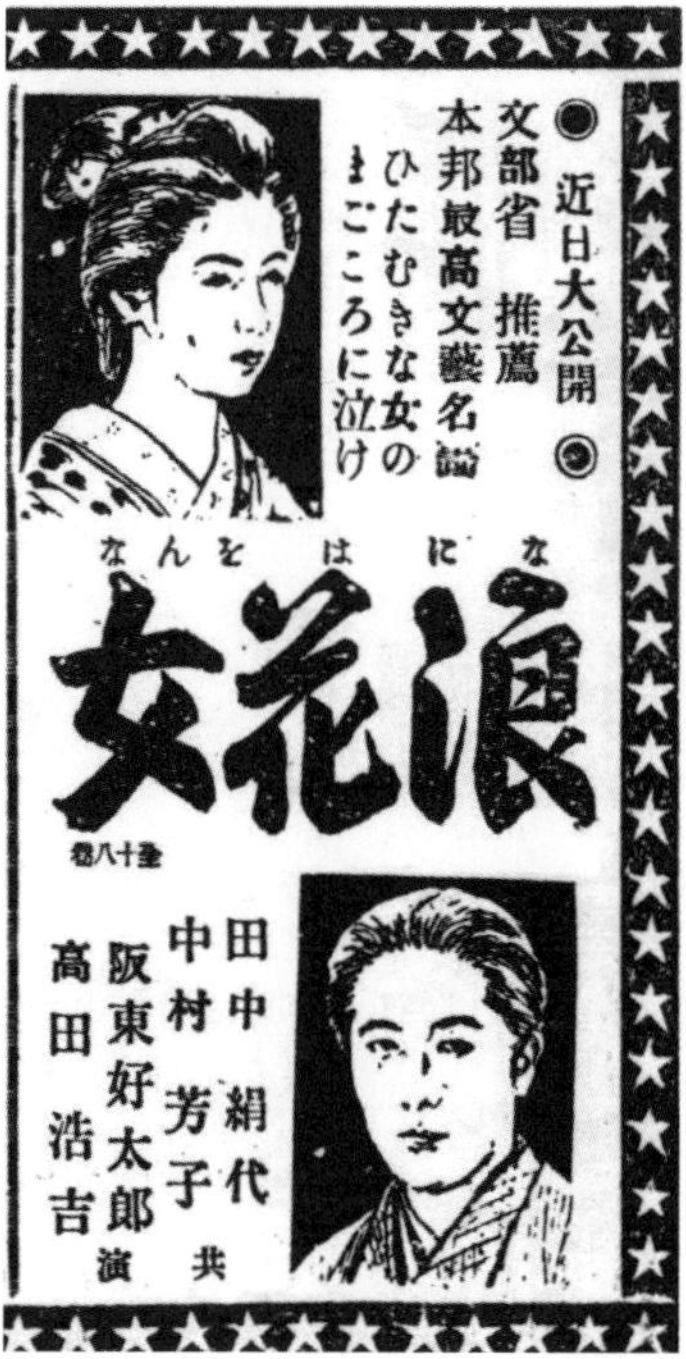

「浪花女」上映広告（1941年5月5日付『沖縄新報』）

ところでこの映画に関して、一九四〇年五月二十八日付の『琉球新報』には「松竹の溝口監督〝浪花女〟撮影　ロケの為め近く来県」という記事が出ています。溝口監督が同作の撮影に先立ち、カメラマンの三木滋人を伴って長崎の天草から沖縄方面のロケハンに出発する、という内容です。記事は当時大阪にいた真栄田勝朗《かつろう》によるもので、彼が主宰する『大阪球陽新報』の同年六月一日号にも同様の記事が掲載されています。

けれども『映画旬報』がまとめた本作の制作経過によれば、六月初頭の溝口は島根県の隠岐や四国の宇和島方面に出かけており、真栄田の記事とは一致しません。また海岸の場面は南紀地方で撮影されたらしく、沖縄でのロケやロケハンの記録は確認できていません。さらには本作が那覇・平和館で公開された際の事前広告にも、沖縄との関わりをうかがわせる文言は見当たらないのです。

では一体なぜ沖縄でのロケハンが取り沙汰されたのでしょうか。真栄田の記事によれば、主人公の団平が三味線の工夫をするために渡海する場面が構想されていたということです。真栄田の情報がどの時点でのものかは不明ですが、本作の脚本を読む限りでは、団平が沖縄に渡ったり、三絃《さんしん》を手にしたりする場面は出てきません。

ちなみに、本作にも出演している高田浩吉《たかだこうきち》が戦後に主演した岩間鶴夫監督の『八州侠客

伝　白鷺三味線』（一九五五）には、琉球渡りの三絃の逸品「白鷺」が登場しています。

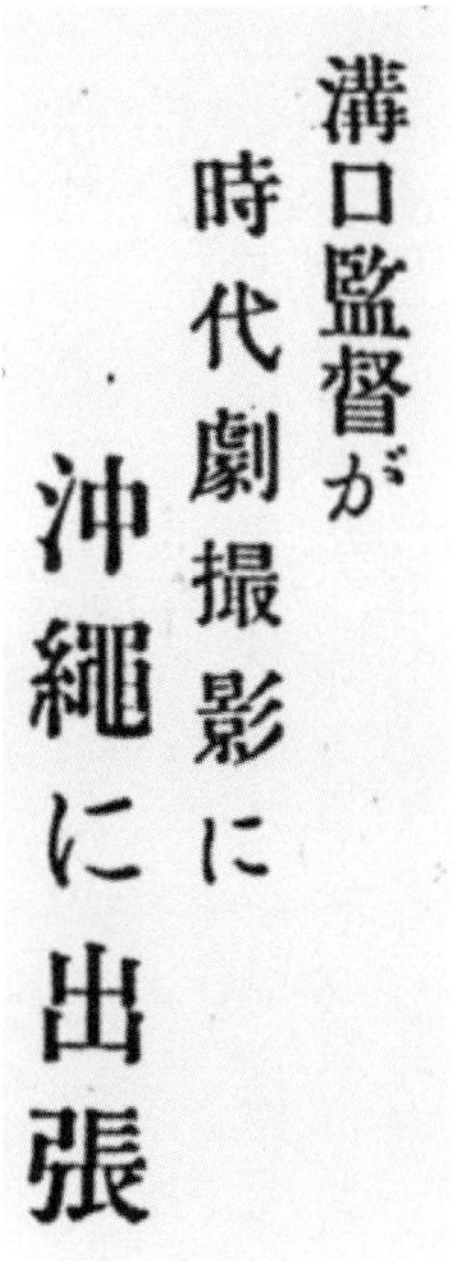
溝口監督が
時代劇撮影に
沖縄に出張

1940年6月1日付
『大阪球陽新報』

第八話　藤井三次の「平敷朝敏一代記」

一九二四年三月十五日付の『沖縄タイムス』には、国際映画協会の藤井三次監督が前日入港の沖縄丸で来県し、那覇・大正館に投宿した、という記事が出ています。旧西本町にあった大正館は徳之島出身者が経営していました。藤井がここに滞在したのは、同じ鹿児島県大島郡出身だったからかもしれません。藤井は奄美大島の名瀬生まれで旧姓を渡辺といい、兵馬と号していました。サンデー小《ぐゎー》と呼ばれた少年時代を首里の汀志良次《てぃしらじ》で過ごしているため、うちなー口も流暢でした。

後に藤井は射撃の研究のために渡米しますが、やがて映画界に転じて俳優から編集助手となり、ハリウッドにあったロバートソン・コール社という独立プロダクションで助監督をしていました。このプロダクションはアメリカで活躍した早川雪洲とも関わりが深かったのですが、一九二三年には実業家で東京商業会議所会頭の藤山雷太が視察に訪れていま

右端が藤井三次（『国際と映画』創刊号より）

す。ちなみに雷太が率いた藤山コンツェルンの一つが大日本製糖で、同社は後に大東諸島を所有する東洋製糖を傘下に収めることになります。また雷太の長男は、戦後に政治家となって外務大臣も務めた藤山愛一郎です。

『沖縄タイムス』の記事によれば、藤井が十五年ぶりにアメリカから帰国したのは、藤山雷太が当時の金額で五〇万円を投じて設立した国際映画協会の監督に招聘《しょうへい》されたためだといいます。映画研究者の福島可奈子の調査では、雷太はフランスでも映画産業を視察していたらしく、どうやら映画の将来性に注目して欧米との親善交流にも利用することを考えていたようです。

ところが藤井は帰国直後に、投宿中だった東京・築地のホテルで関東大震災に遭遇します。自身はかろうじて難を逃れたものの、アメリカから持ち帰った撮影機材の類《たぐい》はすべて失われてしまいました。その後は関西に拠点を移し、神戸に「国際と映画社」を構えて『国際と映画』という雑誌を創刊するとともに、「兵馬派」を名乗って映画の製作を企図していました。『国際と映画』には、「国際映画協会　藤井三次」の名前で俳優の募集広告も掲載されていますが、実態は不明です。

そんな藤井が沖縄に現れたのは「沖縄の風土人情其他沖縄名物をフィルムにして紹介しよう」と思ってのことだったといいます。そして沖縄の光線と乾燥した空気はフィルムにも好都合だが、水は悪いから現像は内地でやらねばならないだろう、とも述べていました。藤井の沖縄滞在は一か月近くに及んでいます。一九二四年四月十三日付の『沖縄朝日新聞』は「本県を背景に時代映画を作成　国際映画協会の藤井氏が　俳優は本県から募集」と報じました。この時藤井が構想していたのは「平敷朝敏一代記」で、革命的情熱を胸中に抱きつつ処刑された朝敏の悲劇的運命に感動した、と述べています。

また藤井は撮影技師や俳優を連れて八月ごろに再度来県する予定を語り、同時に沖縄での男女俳優募集にも言及しています。そして、アメリカでは生活難から映画俳優を志す人が多いのに、沖縄に志望者がいないのは生活に対する不安が薄いためではないか、とやや見当はずれの指摘をしています。

当時は沖縄でも映画が大衆娯楽として人気を集めていましたし、スクリーンに登場する映画俳優は観客にとって憧れの存在となっていました。しかし本土から遠く離れて撮影所もない沖縄では、一般人が俳優をめざす、あるいは生活のためにエキストラや俳優になるという発想自体が、そもそも生まれにくかったはずです。

藤井による「平敷朝敏一代記」の企画は、四月十七日付『沖縄朝日新聞』の「骸骨塔」という寸評コラムでも取り上げられています。ただし「チョン髷《まげ》の生きて居る裡にと力み返って居る」と、やや藤井をからかうような調子です。アメリカ帰りの経歴や著名人との交友をひけらかす藤井への反感だったのか、それとも映画監督という立場に加えて、うちなーロや琉球芸能も達者な奄美出身者に対する妬《ねた》みだったのでしょうか。

「平敷朝敏一代記」の企画はそれ以上進まなかったようです。もし映画化が実現していれば、本土の映画会社が初めて沖縄ロケを行った長編劇映画であり、同時に限りなく地元製作に近い作品となったことでしょう。これに関してもう一つ注目したいのは、藤井が発行した『国際と映画』の創刊号に神戸の中島映画が広告を出していることです。この映画制作会社は大正末から昭和の初めにかけて、沖縄で数多くの連鎖劇用フィルムの撮影や長編映画の制作を請け負っていました。連鎖劇とは芝居と映画を交互に組み合わせるスタイルで、沖縄でも大流行し、沖縄独自の映画制作の出発点となっています。もしかすると藤井の沖縄来訪には、この中島映画が関わっていたのかもしれません。

第二章　米軍統治下

第九話　挫折した「おきなわ」の製作

太平洋戦争末期の艦砲射撃と凄惨な地上戦で焦土と化した沖縄では多くのものが焼失しました。戦後、映画興行の復活を見越して那覇の牧志（現在の「てんぶす那覇」のあたり）にアーニーパイル国際劇場を建てた高良一は、狙い通り大儲《おおもう》けして映画長者となります。さらに彼は日本本土からのフィルム輸入解禁を睨《にら》んで琉球映画興行株式会社を設立しますが、同社では映画の製作・輸出も企図していました。

米国軍政府で映画検閲などを担当していた川平朝申と民間情報教育部のサイモン演劇映画放送課長がこれに参画し、ちょうど来沖した米国陸軍省映画撮影所のベア所長に相談を持ちかけ、支持を得ています。川平とサイモンは戦禍に見舞われた沖縄の復興を記録したいと考え、映画制作の機をうかがっていました。撮影に使う三十五ミリカメラなどの機材も軍政府を通じて発注され、撮影ほかの技術指導はアメリカで映画制作の経験を持つサイモンが担当する予定でした。

一九五〇年五月十九日には映画製作企画審議委員会が開かれ、映画は古典、近代、戦後の各編に分けること、戦後編では文化・経済・産業ほかの復興を取り上げることなどが確認されます。また山里永吉《やまざとえいきち》、池宮城秀意《いけみやぎしゅうい》、上地一史《うえちかずふみ》、川平朝申《かびらちょうしん》ら十二名が専門委員としてシナリオの準備をすることになりました。当初は文化映画が企画されていましたが、途中で劇映画に変更されたらしく、六月二十二日付の『うるま新報』には、琉球映画興行株式会社の「劇映画脚本募集」広告が出ています。そこには「舞台人物とも沖縄に取材せるものにして時代新旧を問わず枚数に制限なし」とあり、締め切りは七月三十一日でした。

ところがどういうわけか、締め切りまで三週間以上も前の七月七日付『沖縄タイムス』は、「応募作品中に採るべきものがなかったので既定案通り山里永吉のシナリオを用いて」と報じています。山里永吉は戦前から沖縄芝居に脚本を書いており、代表作には大当たりをとった史劇『首里城明渡し』などがありました。映画のタイトルは「おきなわ」と決まり、ロケ地の下見も行われたようです。

また女優は一般から公募し、高校生を含む三十名が応募しています。その中から専門委員による審査で七名の新人が採用され、映画女優をめざして訓練を受けました。そして一九五〇年八月六日付の『沖縄タイムス』には、山里永吉の脚本「おきなわ」の梗概（あらすじ）が掲載されています。以下にその内容を要約します。

「ヒロインの野崎真智子は両親と弟の四人家族で首里に暮らす女学生だった。しかし沖縄戦が始まり、砲弾の中を逃げるうちに両親は死に、弟ともはぐれてしまう。放心状態で敗戦を迎えた真智子はトラックで収容所に運ばれた。平和が訪れ、彼女は焼け跡と瓦礫の雑踏に弟の姿を探す。沖縄には諮詢会《しじゅん》が設置されて復興へ向けた歩みが始まり、真智子も米軍のＰＸに職を得た。芸能や文化も甦《よみがえ》り、人々は劇場、闘牛場、絵画展などに集まったが、弟は見つからない。そんなある日、真智子は那覇港の桟橋で若い労務者に『姉さん！』と呼び止められる。再会を果たした姉弟はしっかりと抱き合うのだった……」

ヒロイン・真智子の両親役には、沖縄芝居の島袋光裕と与座ツル子の出演が内定していました。島袋は戦前に沖縄で製作された長編映画『護佐丸誠忠録』（一九三五）にも出演した演劇界の重鎮で、戦後は沖縄民政府に所属する松劇団の団長を務めていました。ヒロイン役はオーデションで採用された七名の中から抜擢されることになっており、全員が真剣に訓練を受けたようです。専門委員の川平朝申は彼女らをマイクの前に立たせて対話練習を行っていますが、それは川平が戦前の台湾でラジオ局の児童劇団を組織・指導した経

右から高良一、当間重剛、川平朝申
（1950 年ごろ、那覇市歴史博物館提供）

験を持っていたからです。この映画企画に対しては、沖縄財団九州支部長だった親泊政博（後の琉球新報社長）が積極的に支援し、東映の前身の一つである東横映画の専務・比嘉良篤の協力も得られる予定でした。ところが沖縄民政府内には、沖縄戦を描くことは米軍を刺激するおそれがある、とタブー視する動きがあったといいます。また一九五〇年六月に勃発した朝鮮戦争の影響で必要な撮影機材も届かず、さらには撮影などを担当する予定だったサイモン課長の転任帰国が重なり、結局この企画は中止されてしまいました。高良一は後に『私の戦後史』の中で「いざ製作の段になって問題が多く、結局取りやめた」とだけ述べています。もし実現していれば、戦後の沖縄における最初の劇映画となっていただけに惜しまれます。

第十話　謎の「国際映画製作部」

奄美大島の『南海日日新聞』は、一九五一年十二月十五日付の紙面に「沖縄に映画製作所生る」という「那覇特電」を掲載しています。映画製作所の仮称は「国際映画製作部」で、代表は第九話でも触れたアーニーパイル国際劇場経営者の高良一となっていました。そのほかプロデューサーには山崎眞夫、脚本演出には伊集田《いじゅうだ》實の名前が出ています。

山崎「眞夫」とはおそらく山崎「政男（一部資料には政英の表記も残る）」のことと推測されます。山崎は米軍政下の沖縄で『大動乱』（一九五六―五七）、『吉屋チルー物語』（一九六一―六三）、『移民の父・当山久三伝』（一九六六）など、様々な映画制作の現場に関わった朝鮮人です。ＵＳＣＡＲ（琉球列島米国民政府）と関係があったという証言もありますが、本名は不明、来沖の時期も目的も確認できていません。

一方、脚本演出として名前が挙がっている伊集田實は奄美出身です。戦後の奄美演劇に革新と隆盛をもたらした劇作家で、その影響は沖縄にも及びました。奄美大島の劇団が沖縄に渡って芝居興行を席巻した、いわゆる「大島旋風」も、伊集田を抜きにして語ることはできません。伊集田は一九五〇年代初頭には沖縄でも芝居の脚本を書いています。

戦後の沖縄で初となる長編劇映画『野盗の群れ』（一九五二）を真喜志康忠主演で監督したのも伊集田でした。先ほどの『南海日日新聞』の記事は、国際映画製作部が「よみがえる沖縄」、「ひめゆりの塔」、「犬田布《いんたぶ》騒動記」の三作品の制作を予定し、本土の有力映画会社との配給上映を契約済みだと伝えています。このうち「よみがえる沖縄」はすでに首里城跡でクランク・インと報じられていますが、他の二作も含めて実際の制作・公開を裏付ける資料はありません。

しかも不思議なことに、同時期の沖縄本島の新聞には国際映画製作部に関連した記事が見当たらないのです。また「よみがえる沖縄」のタイトルや紹介映画というコンセプトは、第九話で取り上げた「おきなわ」の企画や、後にＵＳＣＡＲの民間情報教育部が琉球政府と共同製作した復興紹介＆移民促進の記録映画『起ちあがる琉球』（一九五三）を連想させます。この時期の沖縄では、戦後の復興を描く映画の企画がいくつも浮かんでは消えていたのではないでしょうか。

第十一話　伊集田實の「犬田布騒動記」

第十話で取り上げた「国際映画製作部」の企画に挙がった三作品のうち、「犬田布《いんたぶ》騒動記」は伊集田實が奄美の名瀬時代に書いた芝居の映画化企画ということになります。伊集田は徳之島出身ですが、生まれたのは横浜市鶴見区でした。幼いころに一家離散となって徳之島で親戚に育てられ、小学校五年からは東京の叔父に引き取られています。

東京では丸山定夫らの新劇に魅了され、また同郷の泉芳朗からも薫陶《くんとう》を受けたそうです。沖縄戦で負傷して捕虜となった後、フィリピンのモンテンルパ収容所に送られますが、そこで捕虜劇団の一座に加わって新国劇の片岡六郎から多くを学び、劇作家・演出家としての第一歩を踏み出したという変わり種です。

そんな伊集田の自他ともに認める代表作が戯曲『犬田布騒動記』でした。舞台は幕末一八六四年の徳之島犬田布村（現伊仙町）で、薩摩藩の過酷な砂糖取締りをめぐって発生した百姓一揆の物語です。久保栄の戯曲『火山灰地』に触発された伊集田は、島唄「徳之島二上り」の哀しくも怨嗟《えんさ》に満ちた歌詞を導きとしつつ、抑圧された島民の耐えに耐えた末の、感情の偶発的な爆発としてこの一揆を描いています。初演は一九四七年、名瀬の熱風座の公演で、伊集田自身が演出して連日満員となりました。それを今度は自らの手で映画化するというのですから、伊集田にとっては願ってもない機会だったに違いありません。『南海日日新聞』は奄美ロケの予定にも言及していましたが、沖縄での映画化は実現しませんでした。

沖縄を離れた後、伊集田は日活から本作の映画化を打診されています。その時期について私は以前、『南海日日新聞』紙上で「一九四九年ごろ」と推測しましたが、日活が映画の製作再開を決めた一九五三年秋以降の可能性が高いようです。伊集田はシノプシス（あらすじ）を日活に送り、日比谷の制作本部長室に出向きました。監督には東宝から稲垣浩が引き抜かれる予定だったそうです。しかし日活が本作に求めたのは奄美を曲解した異国情緒であり、犬田布騒動も島民の感情の爆発ではなく、組織的な武力闘争に仕立て上げようとしていました。伊集田にはどうしても承諾できませんでした。日活側とのやり取りの詳細は不明ですが、結局この企画も流れています。

第十二話　宮城嗣吉の「太陽は撃てない」

戦後の沖縄で映画興行に大きな足跡を残した一人に宮城嗣吉《しきち》がいます。宮城は米国軍政府の指名を受けて映画を巡回上映し、本土の映画会社と沖縄の配給各社とのフィルム輸入交渉を取りまとめ、沖縄映画配給株式会社（沖映）を率いて全琉に「沖映チェーン」を展開しました。また松竹が戦後、本土の大手映画会社の先陣を切って沖縄ロケを行った『海流』（一九五九）では、岡田茉莉子扮するヒロインの父親役を演じています。

その宮城の沖縄戦体験をベースに、大映の永田雅一社長が直々に映画製作を企てたのは一九六一年のことです。夫婦愛と人情、ヒューマニズムを描くという内容で、タイトルは「太陽は撃てない」と決まりました。山里将人は著書『アンヤタサ！』の中で本作の企画を紹介し、シナリオの表紙写真も掲載しています。一九六一年一月二十七日付の紙面で、大映の三浦外国部長談としてこの企画を報じた『沖縄タイムス』は、同年六月十一日付の夕刊に「悲惨な沖縄戦」と題し、物語の梗概を載せています。以下にその内容を要約します。

「日本軍の敗色濃厚な沖縄戦の末期、安次嶺陣地で沖縄人軍属を率いる宮城兵曹長の元に、妻でハワイ二世のベリーがやって来る。避難の途中で一人きりになった彼女は、死ぬなら夫と一緒にと思い詰めていた。宮城は部隊長の配慮で妻を安全な場所へ送り届けるが、途中で彼女が拾った赤ん坊は息絶える。

敵戦車の攻撃をかいくぐって陣地に戻った宮城は、部隊長から沖縄人軍属の解散と作戦本部への連絡任務を命じられた。作戦本部を探して悲惨な戦場をさまよった宮城は、轟《とどろき》の壕に避難する。そこへ投降を呼びかける妻の声が聞こえてきた。宮城は友軍からスパイ扱いされ、銃撃を受けながらも先頭に立って壕を出る。多くの避難民がその後に続いて米兵に保護され、宮城はベリーと再会を果たす……」

宮城に取材して原作を書いた川内康範《こうはん》は、数多くの映画やテレビの原作・脚本を手がけ、作詞家としても活躍する人気作家でした。代表作には「月光仮面」シリーズや森進一が歌った「おふくろさん」があります。「太陽は撃てない」の脚本は星川清司と監督の村山三男が担当し、主演には田宮二郎の名前が挙がっていました。また永田がフィリピンから連れてきたチェリト・ソリスが宮城の妻に扮するはずでしたが、スケジュールの都合で変更になり、宮古島出身の父を持つ大空真弓の起用が予定されることになります。

村山監督らがロケハンに来沖したのは一九六一年六月十八日でした。永田社長も米軍に協力を依頼するため、やや遅れて一日だけこれに合流しています。六月二十二日付の『沖縄タイムス』のインタビューで永田は、テレビへの対抗手段としてアメリカ映画『十戒』（一九五六）などを引き合いに大作主義を掲げ、米軍の協力を得て相当なスケールをめざすことや、単なる娯楽映画ではなくヒューマニズムを掘り下げることなどを強調しています。

永田は沖縄で宮城邸に泊まったということです。二人の交友関係は、宮城がフィルムの輸入交渉で上京した時に始まります。宮城は若いころから空手で名を知られ、辻界隈《つじかいわい》のケンカでも数々の武勇伝を残す暴れん坊でした。一方の永田も京都・千本組の舎弟だったという経歴の持ち主です。ともにワンマン型ですが情には篤く、戦後は米軍相手に交渉力を発揮し、艶福家としても知られていました。おそらく同じ臭いを持つ者同士で、二人はウマが合ったのでしょう。

ロケは主に本島南部一帯を舞台とする予定でした。映画化の話を受けて、沖縄ではクライマックスの舞台となる三和村伊敷（現在は糸満市）の「轟の壕」を観光地として売り出そうという動きがあり、宮城を含む関係者が現地視察を行っています。けれども当初七月中旬と報じられていた撮影開始は月末へ、次いで八月十日へと繰り下がり、さらに米軍側の都合で八月末まで延期になると発表されました。村山監督は七月二十三日に再び来沖して準備に奔走し、夫婦の愛情を描きたいと抱負を述べていますが、八月に生じた「ベルリン危機」で東西ドイツの緊張が高まり、在沖米軍も映画への協力どころではなくなってしまいます。

ただし大映はこの企画をすぐにあきらめたわけではありませんでした。十一月六日付の『沖縄タイムス』では、本作を「沖縄の砂」と改題して七十ミリ映画第二弾にする動きが報じられています。改題はおそらくアメリカ映画『硫黄島の砂』（一九四九）を意識したものでしょう。しかし結局はそれも実現しませんでした。本作をめぐる宮城や大映とUSCARの交渉経緯、アメリカ側の各部署間でのやり取り、日本本土でのテレビドラマ化などについては、映画研究者の名嘉山リサによる調査研究が行われています。名嘉山は脚本の一部削除や協力をめぐる交渉の具体的な内容を明らかにし、原作者・川内康範によるその後の取り組みについても紹介しています。

第十三話　各社の「ひめゆり」企画と原作問題

一九五〇年六月二十五日付の『沖縄新民報』は「姫百合の塔を主題に東横と大映が合戦」という記事を載せ、ひめゆりの塔の現場写真を添えています。旧満映（満州映画協会）の人脈が濃かった東横映画は後に合併で東映となるわけですが、当時の専務は沖縄出身の比嘉良篤でした。東横では本作を『きけ、わだつみの声』（一九五〇）の姉妹編と位置づけ、監督には同作の関川秀雄、脚本には八木保太郎の名前が挙がっていました。

比嘉は沖縄から上京した米国軍政府のサイモン課長に会い、現地ロケの協力も取りつけています。これに対して大映は、監督・今井正、脚本・水木洋子というコンビで七月二十日のクランク・インをめざし、同じく沖縄での現地ロケを予定していました。けれどもこの時の両社の企画はともに実現していません。六月の終わりに朝鮮戦争が始まり、GHQは戦争を扱う映画の製作に神経質になっていたのです。

翌一九五一年三月二十四日付の『沖縄タイムス』に、今度は東宝が「ひめゆりの塔」を準備している、という記事が出ました。東宝の製作主任で宮古島出身の大村寛三が「ひめゆり」企画の現地調査と興行界視察のために来沖した、という内容です。大村は「こちらの女学生を二、三人主演に」と述べていますが、続報は見当たりません。一方、同年十月二十六日に来沖した大映の曽我正史専務は、中止になった「ひめゆり」企画を何とか実現したいと述べています。続く十二月十五日付の『南海日日新聞』が国際映画製作部の予定作として「ひめゆりの塔」に言及したことは、すでに第十話で紹介した通りです。

さらに一九五二年四月二十七日付の『琉球新報』は、「ひめゆりの塔」の映画化をめぐって大映と新東宝が競争、と報じました。大映の企画では、沖縄ロケが不可能な場合の代替ロケ地として、伊豆大島や伊豆半島、宮崎県の青島などが候補とされていたようです。これら本土大手各社の「ひめゆり」企画が相次いで流れた後、最終的に東映のマキノ光雄製作本部長がレッドパージ中の今井監督を迎えて『ひめゆりの塔』(一九五三)を完成させました。そして本作の大ヒットは、合併間もない東映の業績好転に大いに貢献することになったのです。この今井正監督版『ひめゆりの塔』のロケは千葉で行われており、残念ながら沖縄ロケは実現しませんでした。

本作についてはもう一つ幻に終わった点があります。それは石野径一郎の「原作」による映画化という点です。石野の元の本名は高江洲朝和で、一九〇九年に現在の那覇市首里寒川町で生まれています。県立第一中学を卒業するとすぐに上京し、教師や編集者の職に就きながら「石野径一郎」のペンネームで小説を書きました。後には本名も「石野」と改めています。ひめゆりの悲劇が広く知られるきっかけは、石野が一九四九年に雑誌『令女界』に連載し、翌年に単行本化された小説『ひめゆりの塔』でした。

最初に大映と東横が映画化を企てた際、石野は大映との原作契約をほぼ決めかけていました。そこへ東横専務の比嘉良篤が同郷のよしみで割り込み、石野を翻意させて東横が契約を結んだという経緯があります。その契約が東横の合併でうやむやになった後、一九五二年四月二十七日付の『琉球新報』は、自ら脚本を書き上げた石野の「大映と契約したいと思っている」というコメントを紹介しています。

ところが当初大映で撮るはずだった今井監督と脚本の水木洋子が東映に招かれ、石野の名前も原作も無視して企画が進みます。そうこうするうちに仲宗根政善の実録手記『沖縄の悲劇』が、著者に無断で『ひめゆりの塔』と改題され、本の帯には「東映映画化決定」と記されました。もちろん石野も仲宗根も抗議の声を上げます。一九五二年十月四日付の

ひめゆりの塔（2019 年撮影）

『毎日新聞』夕刊で、石野が東映の映画化に対抗して「現地の沖縄プロダクション、東宝の金巻博司氏と提携」する、と報じられた背景には、こうした経緯があったのです。

ここで著作権をめぐる交渉の経緯や水木による盗作の有無を詳細に論じる余裕はありませんが、愛宕由朗によれば、東映側は石野と仲宗根に二十万円ずつ損害倍賞することで問題の解決を図ったということです。けれども完成した映画は二人の名前を「資料協力」としてのみクレジットしています。水木は「石野原作」のクレジットを拒んだらしく、今井監督が石野に詫びています。そして意外なことに、後のリメイク版も含めて石野径一郎の小説を「原作」とする「ひめゆり」映画は一本もありません。

第十四話　石野径一郎「夜の沼」

石野径一郎の代表作は第十三話でも触れた『ひめゆりの塔』ですが、それ以外にも戦前から歴史小説などを発表し、戦後は空手モノ、戦時下や米軍統治下の沖縄を描いた小説、宮古島縁起の戯曲など、幅広い作品を数多く残しています。

石野原作の映画には、新東宝で配給された『唐手三四郎（後に「激闘・三角飛び」と改題）』（一九五一）や『残波岬の決闘』（一九五三）があります。どちらも『讀切傑作倶楽部』に連載された『空手青春譜』をベースにしたものです。また日活映画『沖縄の民』（一九五六）の原作も、直木賞候補作となった石野の同名小説でした。この映画は、若い女性教師の視点を軸にしながら対馬丸事件や沖縄戦の惨状を描いたもので、フィルムは国立映画アーカイブ（旧東京国立近代美術館フィルムセンター）が所蔵しています。

実はこれら三作以外にも、石野の小説を映画化する動きがいくつかありました。その一つが『夜の沼』という、同時代の沖縄を舞台にした犯罪小説をめぐる企画です。『夜の沼』は一九五八年に刊行された石野の短編集の表題作で、米軍キャンプやシビリアン住宅を襲う美貌の戦果強盗・アヤと、彼女に養われている気の弱いヤサ男・磯吉が主人公となっています。磯吉が練った強盗殺人計画をアヤが実行して大金を手に入れた二人ですが、磯吉の心が若いユキコに移ったことから痴情のもつれが生じ、最後に二人は車ごとマングローブの底なし沼へと転落してしまいます。

石野は一九六五年九月十五日付の『琉球新報』に、「『夜の沼』と左京未知子さん」という短いエッセイを寄せています。その中で「『夜の沼』はアヤ自身であり、同時にその環境の象徴である」と述べ、アヤのような女を生む米軍統治下の社会的矛盾への批判を示唆していました。

一方、左京未知子は本作の企画に際し、主演を希望して自ら石野を訪ねています。本名が「綾子《あやこ》」で、剛柔流空手や沖縄舞踊の心得があるという彼女は、自分が本作のアヤ役にうってつけだと考えていたようです。もっとも石野は左京の印象について、アヤ型の悪女ではなく、むしろ石野が別な小説『沖縄空路の女』に登場させたリサ型の「しとやかな美人」であると評しています。

法政大学沖縄文化研究所には、「夜の沼」の映画台本が所蔵されています。同研究所の石野径一郎蔵書資料についていては、沖縄文学研究者の仲程昌徳から教示を受けました。この台本は黒表紙に金文字で「(仮題)夜の沼」と記され、監督・脚本は伊賀元、企画・製作は美村晃宏となっています。

キャストは磯吉に六本木真、ユキコに沖縄出身の両親を持つ嘉手納清美の名前が書き込まれていましたが、主人公・アヤの欄は空白のままになっています。おそらく準備稿と推測され、細部の改変はあるものの、物語の大筋は石野の原作と変わりません。

一九六五年九月十七日付の『琉球新報』では、「『夜の沼』近く沖縄ロケ　主演に新進の左京未知子」という見出しで、左京の写真が大きく紹介されました。左京は日活や新東宝で活躍し、川島雄三が監督した、沖縄と縁の深い『グラマ島の誘惑』(一九五九)では、左京「路子」の名義で慰安婦の一人に扮しました。また一九六三年ごろからは揺籃期のピンク映画に主演し、肉体派女優として知られていました。

同記事によれば、製作会社は東京放映、監督は難波敏夫で、九月十日から千葉・房総海岸でクランク・インしており、同月下旬には沖縄ロケも予定されていたようです。さらに同年十月十三日付の『沖縄タイムス』は、本作が茨城県の沼地で撮影中であると伝え、嘉

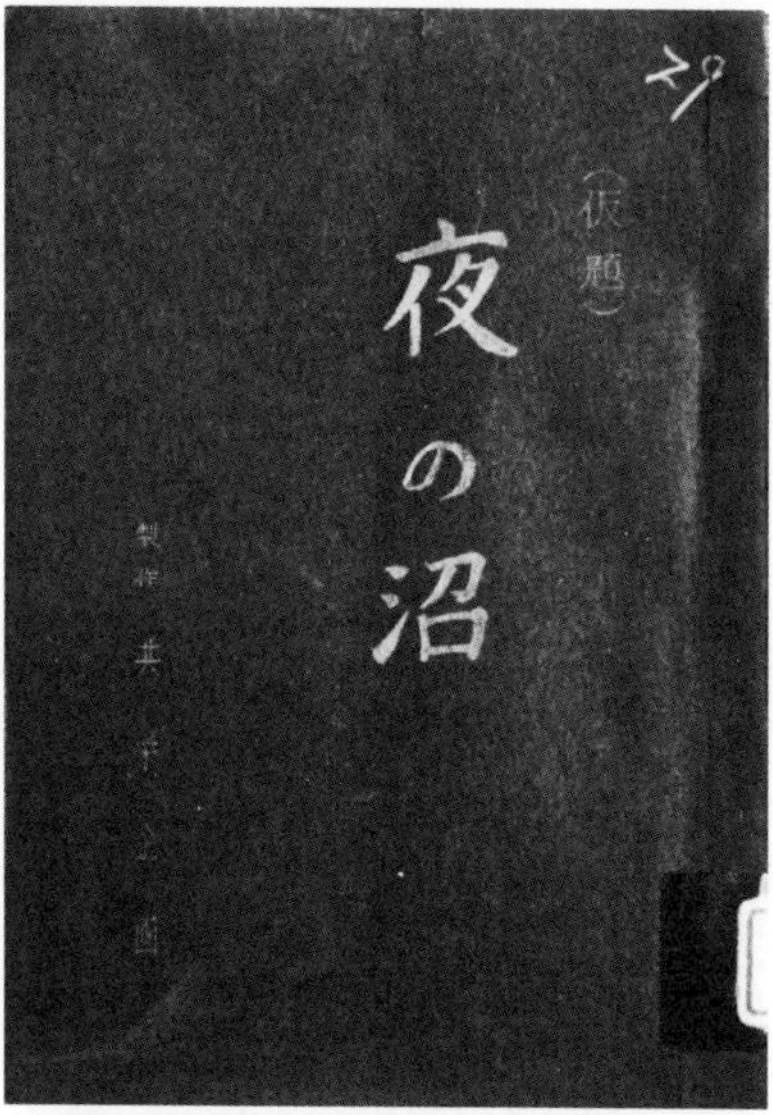

石野径一郎原作による脚本「夜の沼」の表紙
（法政大学沖縄文化研究所所蔵）

手納が六本木に寄り添うスチル写真も掲載しています。

これらの記事を踏まえれば「夜の沼」は幻の映画ではなく、実際に撮られていたことになります。けれども同タイトルの作品は情報が見当たらず、不思議なことに石野や左京、嘉手納の従来のフィルモグラフィーにも一切出てきません。あらためて調べたところ、一九六五年十二月に東京放映が『ぬま』(一九六五)という作品を製作し、ピンク映画として公開していることが判明しました。監督は難波で、出演者に左京や六本木の名前が挙がっていることから、これが「夜の沼」という企画の終着点であると考えられます。石野も前掲の『沖縄タイムス』で、映画のタイトルが単に「沼」となる可能性を示唆していました。

ただし、本作が最初からピンク映画として企画されたのかどうかはわかりません。また何らかの形で沖縄ロケが行われたのか、あるいは原作小説のテーマや沖縄という舞台設定がどこまで受け継がれたのかも不明です。『ぬま』のフィルムが見つからない限り、これらの点についての追究は難しいでしょう。

第14話　石野径一郎「夜の沼」

第十五話　その他の石野径一郎関連企画

第十四話で触れた法政大学沖縄文化研究所の石野径一郎蔵書資料には、「夜の沼」以外にも映画化をめざした企画資料がいくつか含まれています。新東宝のプロデューサー・坂上靜翁《しずお》の名前が記された「台風の女」は、ガリ版刷りのB5判で約三十ページのシノプシスです。坂上は後に日活に移り、『警察日記』（一九五五）や『陽のあたる坂道』（一九五八）の製作を手がけています。

「台風の女」は、十九歳で九州に駆け落ちした「台風のような」性格の女が十年ぶりに糸満へ帰るという設定です。糸満漁師の暮らしや那覇の歓楽街を背景に、大綱挽、密貿易船でのアクション、台風の襲来などを織り込みながら、男女関係のもつれや家族愛が描かれていました。

「原作者　石野径一郎」と書かれた最初のページの註には「祖国愛とか　日本への郷愁

とか　祈りとかは　小説の肉体として　必ず取上げたいと思います」「外人の出る場面は密貿易船で取上げるだけに止めました」とあります。おそらく企画の意義に加え、沖縄ロケの可能性を意識したものでしょう。このシノプシスに書き込まれた直しやメモの多くは、一九五三年十二月十日提出の改訂版に反映されており、分量は四十ページに増えました。

そしてこの改訂版では、本島中・北部の景勝地やひめゆりの塔をめぐる場面が書き加えられたほか、ヒロインの経歴が対馬丸で疎開し、後に子どもと夫を失って生活難から夜の女になったという設定に変更されています。また作品タイトルも「台風の女」に手書きで「圏」が加えられ、「台風圏の女」となっています。

石野はこのシノプシスが作成された一九五三年、戦後二度目の帰郷を果たしています。同年八月八日付の『琉球新報』には「『沖縄超特急』や『台風の女』と題する映画を製作することになった。それにはハーリーや大綱曳、台風などをとり入れ、さらに沖縄の人々の声も織り込んで沖縄の実情を詳しく映画から紹介したい」という石野談話が掲載されています。ただし記事では映画会社が日活、プロデューサーが岩本熙となっており、シノプシス資料と食い違っています。なお、一九四八年に松竹が原節子主演の『颱風圏の女』を製作していますが、石野らの企画とは無関係です。

また同記事によれば、「台風の女」と並んで「沖縄超特急」という映画が、日活から石野に製作委嘱されていたことになります。残念ながら記事中には具体的な内容についての言及がありません。プロデューサーは「野坂平馬」となっていますが、これは新東宝の「野坂和馬」の誤記と思われます。野坂は後に記録的な大ヒット作『明治天皇と日露大戦争』（一九五七）に関わり、一九六〇年代には東映テレビで『ナショナルキッド』（一九六〇―六一）も手がけています。

実は「沖縄超特急」については、この『琉球新報』の記事より二か月前の六月一日に、『球陽新報』が「これも原作石野氏の手になる沖縄もので新東宝が製作しプロデュサー《ママ》野坂和馬氏である」と報じていました。ちなみに『球陽新報』は、宮城久隆が大阪の西成区で編集刊行していた新聞です。その記事によれば、映画は東京と沖縄を舞台とし、沖縄ロケも計画されていたようです。ただし、石野や野坂が五月末に現地視察に出かけたという記述については、事実が確認できていません。『球陽新報』の記事も映画の内容には触れていませんが、沖縄出身者が経営する西成映劇での封切りが予告されています。

さらに石野は「誰かが地獄へ急いでいる」の企画にも関わっていました。法政大学沖縄文化研究所の石野径一郎蔵書資料には、新東宝の企画・製作者である津田勝二が石野と相談してまとめた、ガリ版刷りB5判十五ページのシノプシスがあり、会社への提出日は一九五五年十一月二十六日となっています。津田は石野原作の前出『唐手三四郎』と『残波岬の決闘』を手がけたプロデューサーです。シノプシスの但し書きには、映画化が決定したら雑誌『平凡』に連載し、主題歌は日本コロムビアで吹き込む予定、と具体的な計画が説明されています。

「誰かが地獄へ急いでいる」は基地と競輪の街を舞台にした犯罪アクションで、戦後間もない時代の世相と暴力による支配、そしてその中で懸命に生きる庶民の姿を描いています。街のモデルは東京の立川あたりと考えられ、沖縄とは直接関わりがありません。けれども戦災児や基地、特飲街といった設定に、石野は米軍支配下にある郷里沖縄の姿を重ねていたに違いありません。

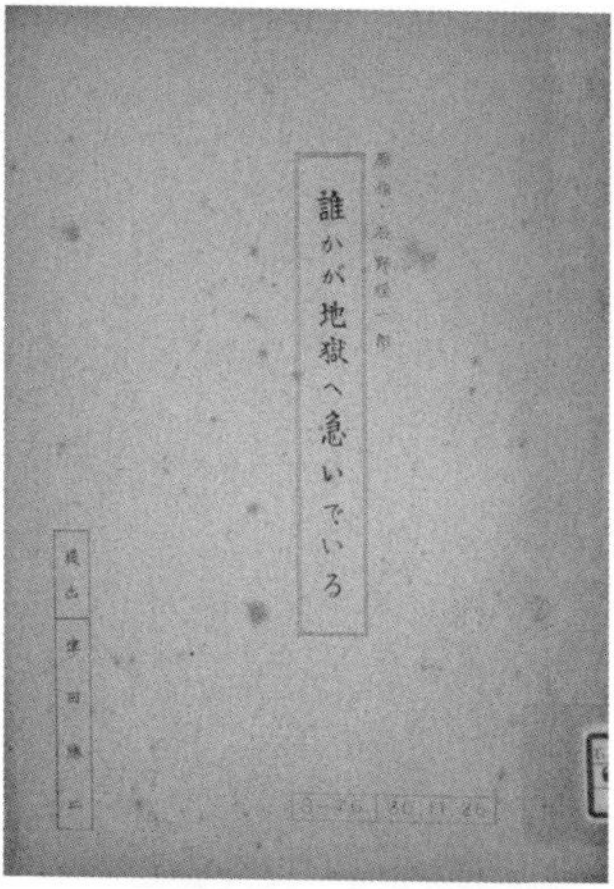

石野径一郎が企画に携わった
「誰かが地獄へ急いでいる」の梗概
（法政大学沖縄文化研究所所蔵）

第十六話　甲子園の土を主題に

沖縄尚学による二度の選抜大会優勝、興南高校による春夏連覇など、甲子園で沖縄の高校球児が活躍する姿はもはや珍しくありません。

沖縄の高校野球代表校が初めて甲子園の土を踏んだのは、六十年以上前の一九五八年夏でした。第四十回の記念大会となったこの年の選手権大会はブロック予選がなく、各都道府県の代表校がそのまま出場することができたのです。そして米軍統治下の沖縄大会を制したのは首里高校でした。同校は戦前の旧制一中時代はもちろんのこと、戦後も長い間にわたって沖縄屈指の強豪校として知られていました。

ただし、この年の優勝候補筆頭は、好投手・石川善一を擁する中部の石川高校でした。首里高校は石川高校とは別ブロックに入って勝ち上がり、石川高校との決勝戦に六対〇と完勝して甲子園行きの切符を手に入れたのです。

一八九四年に修学旅行先の京都で第三高等学校（現在の京都大学）の学生から野球の手ほどきを受け、バットやボールをプレゼントされて沖縄に持ち帰ったのは沖縄県尋常中学でした。それを考えれば、沖縄県尋常中学の後身である首里高校が最初の甲子園出場を果たしたというのは、やはり何かの巡り合わせだったのかもしれません。

首里高校の選手たちは船で丸一日以上かけて鹿児島に渡り、そこで二日間練習してから夜行列車で甲子園に向かっています。初めての体験が続き、到着するまでに肉体的にも精神的にもかなり疲れたことでしょう。甲子園では高野連・佐伯達夫副会長の計らいにより、主将の仲宗根が選手宣誓の大役を務めています。試合は一回戦で福井の敦賀高校に〇対三で敗れましたが、沖縄に帰った選手たちは地元の大歓迎を受けました。

けれどもその一方で、選手たちが記念に持ち帰った甲子園の土が植物防疫法に引っかかり、泊港の海に捨てられるという事件が起きています。この事件は沖縄よりもむしろ日本本土での反響が大きく、選手たちには多くの同情が寄せられました。中でもよく知られているのが、甲子園近くの小石を集めて首里高校に贈った日本航空客室乗務員のエピソードです。その小石は現在も同校の甲子園出場を記念した友愛の碑に球場の形を模して埋め込まれています。

そして首里高校の甲子園出場から二年後の一九六〇年秋、このエピソードを映画化しようという動きが本土で起きました。一九六〇年十月十二日付の『沖縄タイムス』には「〝甲子園の土〟を映画化　首里高校をめぐる佳話」という見出しの記事が出ています。首里高校の甲子園出場から検疫による土の廃棄、友愛の小石に至る一連の物語が、「日本を愛す」(仮題)として映画化されると報じたものです。企画したのは東洋映画という、東京にある教育映画系の独立プロダクションでした。さらに同紙夕刊には翌十三日から全六回にわたって、映画化される物語の梗概が掲載されています。

その内容はすべてが実話というわけではなく、むしろフィクションの部分が多いと言えるでしょう。主人公は貧しい家庭環境にある花城登という架空の少年で、周囲に支えられて首里高校に進学します。登は両親の遺品とともに祖国の土を踏む、という決意を秘めて練習に打ち込み、甲子園出場を果たします。

ただし沖縄大会決勝の相手は石川高校ではなく、なぜか那覇高校になっています。「一中対二中」以来の首里高校とのライバル関係を踏まえて意図的に変更したのか、それとも単に資料の確認を怠っただけなのでしょうか。いずれにしても、この梗概からは「沖縄」の空気があまり感じられません。おそらく沖縄のことをよく知らない人が原案・脚本を書

1958年、夏の甲子園沖縄大会で首里高ナインが優勝。
沖縄勢初の甲子園出場を果たした（沖縄県公文書館所蔵）

いたものと推測されます。

その一方で、「日本を愛す」という仮題に現れているように、物語は「甲子園の土」をキーワードにしながら、いくつもの「美談」を本土復帰／沖縄返還へ向けたプロパガンダ性でつないでいます。球児たちの本土への憧れや登の父母が「祖国」に寄せた思い、それを受け止める本土側の同胞意識などがくり返し強調されています。美談とイデオロギーがしばしば表裏一体を成すことは、あらためて言うまでもないでしょう。

『沖縄タイムス』によれば、映画は白黒ワイドの全七巻（上映時間約七十分）になる予定で、東洋映画では「来春早々沖縄へ四十人のロケ隊を送り出し、約二十日間の現地ロケ」を計画していたとのことです。首里高校側でも撮影に協力することになっていたようですが、その後この企画についての具体的な動きはなく、関連報道も見当たりません。

第16話　甲子園の土を主題に

第十七話　新垣美登子の「黄色い百合」

一九五七年十月九日付の『沖縄タイムス』夕刊には、「シナリオ作家白石氏来島　日東映画社が招く」という小さな見出しの記事が掲載され、白石五郎の顔写真も添えられています。記事によれば、日東映画では新垣美登子《あらかきみとこ》の小説『黄色い百合』の映画化や別な記録映画の製作を企図しており、白石が直接現地を調べるために空路来沖したということです。白石は朝日新聞の記者から映画評論家を経て脚本家になった人物です。東映東京『終電車の死美人』（一九五五）の脚本でデビューした後、日活でも四作品のシナリオを手がけていました。

『黄色い百合』の映画化については、監督として佐藤武の名前が挙がっていました。佐藤は戦前からの長いキャリアを持つ監督で、戦後は東宝や新東宝で作品を撮っています。派手さこそありませんが、少年モノなどを得意とし、また佐藤が編集・構成を担当した

『白い山脈』（一九五七）は、第十回カンヌ国際映画祭で長編記録映画賞を受賞しています。ただし同作は後に、撮影手法や学術的な誤りをめぐって厳しい非難を浴び、佐藤のキャリアを傷つける結果となってしまいました。ちなみに『白い山脈』は大映東京の製作・配給となっていますが、第十六話で取り上げた「日本を愛す」の東洋映画も、何らかの形で制作に関わっていたようです。

小説『黄色い百合』は一九五四年八月一日から翌年八月十七日まで、全三七〇回にわたって『沖縄タイムス』朝刊に連載されており、連載時の挿絵は金城安太郎が担当していました。作者である新垣美登子自身の言葉を借りれば、本作は「沖縄の封建的社会を背景にして、素封家の生活をテーマに描いた風俗小説」ということになります。物語は大正時代の初めから太平洋戦争をはさんだ戦後の一九五〇年代までという、半世紀近くに及ぶ長い時間を取り上げています。

そこには沖縄の上流家庭の暮らしと没落、辻遊郭のジュリ、女中や下男の姿、ヤマトンチュへのあこがれと反発、ブラジル移民、戦時下の疎開、女性の恋愛など、幅広い内容が盛り込まれていました。一九六六年に前編、翌六七年には後編が単行本となっていますが、その際に新聞連載時の最初の部分が後編の終盤に移され、物語が連載時の第十回目から始まるように再構成されています。

新垣美登子は一九〇一年に那覇市上之蔵で産婦人科医の次女として生まれ、県立第一高女から日本女子大国文科に進みました。その間に沖縄県立図書館で伊波普猷の教えを受け、また後には歌人で作家の池宮城積宝《せきほう》との間に二児をもうけています。美登子は戦前から沖縄の新聞に小説や随筆を寄稿する一方で、東京や福岡で美容を学び、那覇に美容院を開業しています。彼女は沖縄における美容師の先駆者でもあったのです。

戦前の代表作は『琉球新報』に連載して人気を集めた『花園地獄』とされています。これは辻遊郭に題材を求めた作品でした。父・居信の医院が辻遊郭に近かったことから、美登子はジュリたちが日常的に診察を受けに来る環境で育っています。残念ながら『花園地獄』は単行本化されておらず、また当時の新聞が失われているため、現在は読むことができません。美登子は疎開先の島根県で敗戦を迎え、後に那覇に戻って美容院を再開するとともに、美容専門学校の校長として後進の育成にもあたりました。

彼女の戦前の代表作が『花園地獄』だとすれば、戦後の代表作は『黄色い百合』です。物語の前編では那覇で女中奉公する西原村出身の少女カミーが、十七歳で主人の妾となって出産し、自分の娘を「お嬢様」と呼んで仕えます。家庭悲劇を描くいわゆる新派モノの影響が明らかで、娘の「百合子」という名前も、沖縄が舞台となる菊池幽芳の家庭小説にちなんでいます。また後編では百合子の結婚と夫婦関係の破綻、不倫と自立などが描かれていますが、その一部は新垣美登子自身の人生とも重なり合うものです。

日東映画では日琉合弁での映画製作を掲げ、俳優志望者も募集しました。この「黄色い百合」の企画のほかにも、少年野球の映画や記録映画を企画していたようです。記録映画の監督に予定されていたのは、第二次世界大戦を描いたドキュメンタリー映画で製作、監修、編集などにクレジットされている大方《おおかた》弘男でした。

ところが日東映画は経営陣に内紛が発生し、加えて横領、背任、商法違反、詐欺などの疑いで警察の捜査を受け、沖縄の新聞紙面を賑わせます。そして映画の制作や俳優としての出演に期待を寄せた人々の夢と金を食い潰したまま、一本の映画も作らずに消滅してしまいました。企画された作品だけでなく、映画会社そのものが幻に終わったのです。

第十八話　古川成美の「沖縄の最後」

第十五話で触れた大阪の『球陽新報』は、一九五二年七月二十一日付の第三十八号で「『沖縄の最後』松竹で映画化か？」と報じました。

『沖縄の最後』の著者・古川成美《ふるかわしげみ》は和歌山県に生まれ、広島文理大学（現在の広島大学）で歴史学を専攻しています。一九四四年に沖縄へ派兵され、幹部候補生として独立高射砲第八一大隊　球一二四二五部隊に配属されました。そして戦力・兵器・物量において米軍に圧倒されたな沖縄の地上戦を生き延び、負傷して「死屍にひとしい」状態で捕虜となります。

屋嘉の捕虜収容所に送られた古川は、主任通訳として比較的恵まれた扱いを受けたようです。そして一九四五年の初秋から、収容所のテントの中で沖縄戦体験記を書き始めました。草稿は米軍から入手した便箋八十五枚に鉛筆書きでまとめ上げられました。その草稿を携えた古川が沖縄から復員するのは、一九四六年五月のことです。翌一九四七年十一月には、出版社に送った沖縄戦体験記の草稿が加筆修正された上で『沖縄の最後』として出版されています。

出版に際してはGHQによる細かな「内閲」が行われ、また出版社による「配慮」「忠言」という自主規制もあって、内容はかなりの削除・改変を余儀なくされたということです。それでも出版後の反響は大きく、物資窮乏の時代にもかかわらずベストセラーとして版を重ねました。ただし、沖縄住民の視点や姿を欠いた内容に対して、沖縄出身の仲原善忠からは厳しい批判がなされています。

さらに古川は出版社を通じて、沖縄戦で第三十二軍司令部の高級参謀だった八原博通《やはらひろみち》の手記を預かっています。八原が戦時下の洞窟で書いたという一〇〇〇枚に及ぶ膨大な量の原稿です。八原が元職業軍人だったためGHQによる出版許可が下りず、出版社から古川に手記の小説化が依頼されたのです。古川はその手記を元にフィクションを加えながら、軍司令部内の内輪もめの様相を描き出した『死生の門　沖縄戦秘録　続沖縄の最後』を書き上げました。これが出版されるのは一九四九年一月のことです。最初に挙げた『球陽新報』の記事は、この二つの小説を映画化する動きを報じたものでした。

『球陽新報』がこの映画化の動きを報じた一九五二年、古川は復員から約六年ぶりに沖縄を訪れていました。二月十五日から二十八日までの二週間にわたって滞在し、戦跡を巡って戦友・戦没者の霊を慰めるとともに、平和記念《ママ》塔建立の協議会に出席しています。また滞在中の二月二十五日から『琉球新報』に、自身の沖縄戦体験をベースにした短編『白い渚』全六回を寄稿連載しました。

しかもちょうど古川が沖縄に滞在していた二月二十日、松竹の監督・岩間鶴夫と脚本家・馬場当《まさる》が来沖し、沖縄の実情を調査しています。この時期に松竹では、戦後の沖縄を舞台にした劇映画を企画していました。この企画は実現しませんでしたが、岩間はその後大田昌秀・外間守善原案の『沖縄健児隊』（一九五三）を監督することになります。「沖縄の最後」の映画化情報の背景には、こうした古川や松竹の動向があったとも考えられるでしょう。

先に挙げた『球陽新報』の記事には「同じく沖縄戦で死生の門を潜った同志が松竹大船の監督」とありますが、これはおそらく小林正樹のことと思われます。松竹の助監督時代に応召した小林は宮古島で敗戦を迎え、捕虜として嘉手納収容所に送られていました。後にＮＨＫ解説委員を務める松宮克也が屋嘉収容所で編集発行していた『沖縄新聞』第二十号には、小林へのインタビュー記事が掲載されています。

復員の後に松竹の監督に昇進した小林は、B級・C級戦犯の苦しみを描いた『壁あつき部屋』（一九五六）や反戦超大作『人間の條件』（三部作　一九五九—六一）、武家社会の建前と人間の執念を描いた異色時代劇『切腹』（一九六二）などを手がけています。もし小林が古川の原作を映画化していたら、いったいどんな映画が生まれていたか、興味深いところです。

一方、古川に資料を提供した八原は、沖縄の本土復帰直後に自らの手記を出版しています。またその前年には岡本喜八監督が『激動の昭和史　沖縄決戦』（一九七一）を撮っていますが、製作に当たっては八原への取材が行われており、当然古川の小説も参照されたと考えられます。従って映画にクレジットされてはいませんが、古川の小説は岡本によって間接的に映画化されたと言えなくもありません。

第十九話　松竹の「世界進出」映画

一九五一年十月二十七日付の『沖縄タイムス』は、松竹と大映の役員らが沖映（第十二話参照）の招きで市場視察に来島したと報じています。それから約一か月後の十二月二日、今度は松竹製作本部の新谷松忠雄が来沖します。同月四日の『沖縄タイムス』によれば、松竹では「沖縄を主題とする映画作製を企画」しており、新谷松はその先乗り調査員として派遣され、二十日間滞在して資料を収集する予定だということです。記事の中で新谷松は、何を撮るかも決まっていないがイタリアン・リアリズムの手法で沖縄に立脚した映画を撮りたい、現地からも女優を募集したい、などと述べています。

監督に岩間鶴夫、脚本に馬場当の名前が挙がっているところをみると、これは第十八話で触れた企画と同じものでしょう。さらに十二月二十三日付の『琉球新報』は「映画化される沖縄　三船、鶴田らが主演」という見出しで、企画内容をより具体的に報じています。

それによれば「映画は終戦後の沖縄人が米国人と協力して如何に沖縄を再建したかをストーリー風に取り扱う」ことになっていました。

こうした内容や米軍への配慮は、一九五〇年ごろに沖縄で高良一や川平朝申らが製作を企てた「おきなわ」やＵＳＣＡＲと琉球政府による記録映画『起ちあがる琉球』（一九五三）に通じるものがあります。日本の映画会社が沖縄ロケを実現するためには、米軍の顔色をうかがわざるをえなかったということでしょう。『琉球新報』の記事によれば、米軍もこの企画に協力する方針で、松竹では世界市場をめざして英語字幕をつけることまで検討していたようです。

俳優は東宝から三船敏郎を招き、松竹からは鶴田浩二のほか津島恵子の起用が予定されていました。鶴田は東映の俳優というイメージが強いかもしれませんが、この当時は松竹を代表する人気スターでした。また津島が東映の『ひめゆりの塔』（一九五三）に出演するのは、この企画から一年後のことになります。一九五二年二月には、監督の岩間と脚本の馬場が沖映東京支社長の崎山喜昌と共に来沖し、「芸術性の高い良心的な作品を作りたい」という抱負が紹介されましたが、第十八話でも述べたようにこの企画は具体化に至っていません。

第二十話　ペギー葉山と「糸満の女」

本土大手による劇映画として戦後初の沖縄ロケを行った『海流』（一九五九）がヒットすると、松竹ではすぐに次の沖縄ロケ作品を企画します。一九六〇年四月十日付の『沖縄タイムス』夕刊には「こんどは『糸満の女』松竹が沖縄ロケを準備」という記事が出ました。製作の小松秀雄、監督の堀内真直《まなお》は『海流』と同じコンビで、脚本には第十二話でも触れた「月光仮面」シリーズの原作者・川内康範の名前が挙がっています。三人は同月二十五日ごろにロケハンで来島すると報じられました。

さらに四月十二日付の同紙夕刊の見出しには「ペギー・葉山の出演決まる」とあります。ペギー葉山という名前は、五十代半ば以上の人にとっては懐かしいものでしょう。「南国土佐を後にして」、「ドレミの歌」、「学生時代」などのヒット曲で知られるペギーは、二〇一七年四月に亡くなっています。夫は沖縄を舞台にしたハリウッド映画『八月十五夜の茶屋』（一九五六）にも出演した俳優の根上淳ですが、ペギーも自身のヒット曲を元にした『南国土佐を後にして』（一九五九）を始め、数多くの映画に助演していました。

まだ主役も決まっていない段階でペギーの名前が出たのは、彼女が歌った「ユンタ恋しや懐かしや」がタイトルバックの曲に決まったためです。『沖縄タイムス』によれば、「那覇の港を船出の時に　デッキで歌った恋の歌」で始まる「ユンタ恋しや――」の歌詞には、旧日本軍兵士と沖縄女性の間に生まれた真矢という娘の物語が込められているということです。糸満線のバスの車掌として働く彼女は、顔も知らぬ父を訪ねて東京へ行きます。けれども父はすでに別な家庭を築いていたため、真矢はその平和を壊さぬよう銀座のバーに勤め、沖縄を離れる時に恋人がくれた八重山紬を着て「安里屋ユンタ」を歌うのです。

「糸満の女」がこれと同じ内容で構想されていたかどうかはわかりません。けれどもこの物語は、同じく松竹が桑野みゆき主演で製作した沖縄ロケ作品『川は流れる』（一九六二）とそっくりです。製作も小松秀雄が担当していることから、「糸満の女」は『川は流れる』の原型企画であり、ペギーの歌と出演が沖縄出身の両親を持つ仲宗根美樹に変更されたのではないでしょうか。

第二十一話　琉・緬合作映画の打診

松竹映画『海流』（一九五九）のロケ隊は沖縄に大きな話題をもたらしましたが、一行が本土に引き上げてから約一週間後の一九五九年八月二日、『沖縄タイムス』の夕刊には「ヒロインに沖縄女性　琉・緬合作映画に登用　第二次大戦に描く　国境を越えた愛の物語」という見出しの大きな記事が出ました。

「緬」とは「緬甸＝ビルマ」のことで、現在は一般にミャンマーと呼ばれています。当時の首都ラングーン（ヤンゴン）でA・I・フィルムという映画会社を経営するウ・ニー・プーが、浦添村屋冨祖（現在は浦添市）で琉映館を経営していた宮城三吉に英文の手紙を送り、沖縄とビルマの合作映画への協力を打診してきたというのです。

構想されていたストーリーは、第二次世界大戦下のビルマで苦難の体験をした旧日本軍の従軍看護婦が、怨恨《えんこん》と敵意を乗り越えてビルマ兵と結婚する、というもので、この時点でのタイトルは「ご無事を祈る」となっていたようです。記事によれば、ウ・ニー・プーは戦前に日本の製糖会社に技師として招かれ、一九三五年には鈴木孝子という日本女性と国際結婚しています。孝子の母親は沖縄出身で旧姓を宮城といい、中頭郡具志川村（現在はうるま市）で小学校の先生をしていました。手紙を受け取った宮城三吉は孝子のいとこに当たるということです。

その宮城三吉は、一九四九年に屋冨祖初の映画館となる浦添劇場を建築・開業したことで知られています。場所は現在の屋冨祖公民館のあたりで、斜面を利用した露天の客席の下奥に舞台とスクリーンがありました。平良竜次・當間早志の『沖縄まぼろし映画館』によれば、浦添劇場はその後沖映チェーンに加わって浦添沖映館と改称し、移転して屋根付き劇場（現在ＯＫＩＥＩの名前が残るビルとは別な建物）となりました。さらに三吉は配給系列を沖映から琉映チェーンに乗り換えて浦添琉映館に改称し、新たにもう一館開業して複数館を経営していました。

いずれにしても、この時代にビルマとの合作映画の話があったとは驚きです。翌年初頭に予定されていた撮影入りを前に、ウ・ニー・プーが来沖して主演する女優を探すと報じられましたが、その後の具体的な動向はわかっていません。

第二十二話　新東宝の「東南アジア珍道中」

第二十一話で紹介したように、東南アジアのビルマから合作映画の打診が沖縄に届く一方で、逆に東南アジア各地でのロケを企画する本土の映画会社もありました。新東宝が近江俊郎の監督作品として「東南アジア珍道中」を構想していたのです。近江は「湯の町エレジー」などのヒット曲を持つ歌手として知られていますが、自ら映画プロダクションを興して監督・俳優もこなし、この当時は実兄・大蔵貢が社長を務める新東宝の作品で活躍していました。「珍道中」シリーズは新東宝が得意としたロードムービー喜劇で、近江も監督として数本を手がけています。

一九六〇年六月二十二日付の『沖縄タイムス』夕刊には、「新東宝も沖縄ロケ　7月22日近江監督一行来る　『東南アジア珍道中』を撮影」という記事が出ています。その記事を要約すると、沖縄では次のような場面の撮影が予定されていました。

「東京の新興貿易では東南アジアとの取引のため、常務、社長の娘・まり子、社員の高石らが出張するが、その途次で沖縄に立ち寄った。一行はまずひめゆりの塔に参った後、同社が合板機械を納入したベニヤ板製造工場を訪れて工場を見学した。夜は琉球舞踊を見物するが、まり子が好意を抱く高石に話しかけようとすると、そのたびに他の社員が邪魔をする……」

ここで注目したいのは、いったいなぜ沖縄の場面でベニヤ板工場が登場するのか、という点です。実はこの記事が出る一か月ほど前の五月十八日に、土木建築の国場組を率いる国場幸太郎が、沖縄で初めてとなるベニヤ工場を那覇市壺川に創業していました。創業式にはUSCAR（米国民政府）のオンドリック首席民政官や琉球政府の大田行政主席らが列席しています。工場は二七〇〇坪の貯木場を備えた総敷地面積六五〇〇坪という規模で、総工費は八十万ドルと報じられています。原木はフィリピンから輸入し、沖縄で加工する新たな輸出産業として期待されていました。

そして沖縄における新東宝の上映・配給契約先は、国場組傘下の国映チェーンでした。ベニヤ板工場の場面については、新東宝と国場組のどちらが先に持ちかけたのかはわかりませんが、新東宝が沖縄でロケするとなれば国場組の協力は欠かせなかったはずです。

ロケは七月初旬から香港、マニラ、バンコク、香港、台湾の順に行い、最後の二十二日と二十三日が沖縄という予定でした。高石役に高島忠夫、まり子役に大空真弓の名前が挙がり、沖縄の貿易商、ベニヤ工場の工場長、民謡と踊りの出演者は現地で募集されることになっていました。ところが撮影はなかなか始まらず、七月末に新東宝の武田俊一営業部長が石垣市内の映画館を視察に訪れた際も、「東南アジア珍道中」の具体的な撮影入りの話は出ていません。

続いて八月に入ると、撮影は九月以降に延期、という情報が流れます。背景にはアジア諸国における対日感情の悪化があったとされますが、詳しいことはわかっていません。結局この時の沖縄ロケの話は幻と消えましたが、「珍道中」シリーズ自体はその後も本土を舞台に作られ続けています。

第22話　新東宝の「東南アジア珍道中」

第二十三話　灘千造と「オレンジ運河」

新聞記者出身の灘千造《なだせんぞう》は、内田吐夢《とむ》監督の『たそがれ酒場』（一九五五）で脚本家としてデビューしました。そして翌一九五六年には、独立プロダクションのアオイ・プロによる企画「オレンジ運河」の脚本を担当しています。これは戦後の大型プロジェクトとして知られる愛知用水事件をモデルに、政治の病巣をえぐった社会派ドラマで、主人公は三十歳の新聞記者でした。原作は当時産経新聞の現役記者だった吉岡達夫の小説で、製作は沖縄戦を描いた東映作品『健児の塔』（一九五三）を手がけた栄田清一郎、監督には俳優の佐分利信が予定されていました。

吉岡の原作小説は人間関係がやや単調で、登場人物も陰影に欠ける嫌いがあります。灘はそれを補うために「与那嶺」という、過去に苦渋を舐《な》めたことのある先輩記者を書き加え、人間ドラマとしての厚みを持たせています。さらには琉球王族の血を引く女や「山

「オレンジ運河」の脚本を担当した灘千造
（福島真理提供）

原」という泡盛屋も登場させました。新宿御苑の近くにあるその泡盛屋には、夜ごと沖縄出身者たちが集まり、三絃に民謡、踊りで郷愁を慰めている、という設定でした。

こうした沖縄がらみの設定や描写は、吉岡の原作には出てきません。灘による脚色は、知多半島を舞台とする愛知用水の話に、無理やり沖縄色を持ちこんだという印象はぬぐえないでしょう。けれども沖縄に寄せる灘の関心の深さはうかがい知ることができます。本作には関係ありませんが、灘の残した随筆には泡盛の古酒《くーす》や山羊汁、浅草界隈《かいわい》にあった「亀島」「乙姫」という泡盛屋の話なども出てきます。

「オレンジ運河」が完成すれば、日本初のワイド画面となるシネマスコープ作品として大きな注目を集めるはずでした。すでにセットまで建てられており、大木実、鶴田浩二、津島恵子、野添ひとみらがキャスティングされていたようです（ただし『キネマ旬報』では、出演予定として鶴田浩二、森雅之、高峰三枝子の名前が挙がっていました）。

ところがクランク・イン直前になって、アオイ・プロの吉田源次郎社長が雲隠れしたため、撮影はストップしてしまいます。表向きは資金難が原因とされていますが、本作を左翼偏向的だとする有力政治家の牽制発言があったことを考えると、背後には政治的圧力も見え隠れしています。まるで「オレンジ運河」自体の結末を地で行く展開となってしまい、灘も含めた関係者はさぞかし無念だったに違いありません。

第二十四話　東映の「沖縄の灯は消えず」

一九六一年十二月二十五日付の『琉球新報』夕刊は「東映、来年沖縄ロケ」と報じました。東映が大作主義の第一弾として、香港との合作「香港恋愛特急」と沖縄ロケ作品「沖縄の灯は消えず」の製作を決定した、という内容です。「沖縄の灯は消えず」は鶴田浩二と佐久間良子の共演によるアクション・メロドラマとして企画され、監督には石井輝男の名前が挙がっていました。その直後の十二月三十日には石井監督、東映プロデューサーの片桐譲、脚本家・灘千造の三名が、ロケハンとシナリオハンティングを行うために来沖しています。

十二月三十一日付の『琉球新報』によれば、映画には鶴田、佐久間に加えて大空真弓の起用が予定され、東映と配給契約を結ぶ地元の琉球映画貿易株式会社（琉映貿）が撮影に協力することになっていたようです。東映初となる沖縄ロケについて灘は「お座なりの沖縄ものでなく、沖縄でなければできないもの、ほんとうの沖縄の姿を背景にした作品にしたい」と抱負を語っています。

明けて一九六二年一月六日付の『沖縄タイムス』夕刊は、「沖縄的生活描きたい」という見出しを掲げ、東映の一行三人が宿泊するホテル琉球でのインタビューを写真付きで掲載しています。ただし映画の仮題は「沖縄の夜の灯り」となっており、なぜか『琉球新報』が報じた仮題とはやや異なっています。その中で灘は「日本を縮めたのが沖縄だという観点から沖縄をとりあげてみたい」と述べ、自身の沖縄観の一端をのぞかせていました。

一行はすでに辺野古、名護を回り、石井監督は沖縄の赤土や七色に変化する海の色をカラー映画に格好の素材と考えていたようです。石井はさらにコザや糸満、できれば八重山まで足を伸ばしたいと希望を述べていました。残念ながらこの時の企画は実現しておらず、東映初の沖縄ロケ作品は『警視庁物語　全国縦断捜査』（一九六三）まで待たねばなりません。そしてそのころ、灘は沖縄で金城哲夫との共同製作によるテレビ刑事ドラマ『沖縄物語』（一九六三）に取り組むことになります。また石井輝男は後に『網走番外地　南国の対決』（一九六六）で、念願の沖縄ロケを実現しています。

第二十五話　本部茂のシナリオ「朝から晩まで」

戦後間もない一九四九年、沖縄で『芝居と映画』というガリ版刷りの雑誌が創刊されました。誌名は途中で『演劇と映画』に改められ、発行母体名も「沖縄劇場協会」から「演劇映画社」に変わっています。発行は不安定でしたが、沖縄芝居の状況や劇団、劇場・映画館の紹介、新作映画や本土の映画界の情報などが盛り込まれ、掲載されている映画興行の各種広告も含めて、当時の様子を知る上で貴重な資料となっています。

本誌は一九五〇年の七・八月合併号から活字印刷となりました。また誌名が「沖縄ペン倶楽部」へと再改題されるという予告も出ましたが、今のところ同年一〇月号までしか発行が確認できていません。この『演劇と映画』の一九五〇年六月号および七・八月合併号に、本部茂によるシナリオ「朝から晩まで（仮題）」が掲載されています。

内容は米軍政下における那覇の街の一日を取り上げ、人々の様子をドキュメンタリー風に描き出したものです。これは明らかに映画用のシナリオであり、「フェード・イン」、「オーバー・ラップ」「ワイプ」といった場面転換や「クロースアップ」などの指示も随所に書き込まれています。そのあらすじは次のようなものでした。

「早朝の静かな那覇港付近。やがて軍作業員を乗せたトレーラーバスの到着を皮切りにラッシュアワーが始まり、小禄辺りからは戦闘機が爆音を残して発進する。カメラは劇場のポスター、市場の賑わい、新聞の見出し、軍政府や民政府の建物などをとらえ、楚辺《そべ》の新しい教会堂の前では米国人宣教師が登校する児童たちとあいさつを交わす。

昼前になると、繁華街の広告塔のスピーカーから音楽や宣伝が聞こえ、人々は混雑する食堂へと吸い込まれる。道路工事現場や港の桟橋では作業員たちがそれぞれ弁当を食べ、高校では生徒たちが思い思いに昼休みを過ごしている。そして午後の土産物店では米兵が花瓶を品定めし、下校する児童らの「ハロー」という呼びかけに、ハイヤーの中から米兵が手を挙げて応える。

夜を迎えて米軍兵舎からスロートロットの曲が聞こえ、映画館や沖縄芝居の劇場には観客が詰めかけている。商店街の人波は途切れず、琉球放送局は古典音楽を放送し、家々ではラジオに耳を傾けている。盛り場のキャバレーではジャズがかかり、男女が踊ったり談笑したりしている。新聞社では編集員がゲラ刷りを手に取り、やがてラジオからは放送終了のオルゴールが静かに流れ、街の人通りも途絶えて那覇の一日が終わる……」

おそらくシナリオのタイトルは、戦前のドイツ映画『朝から夜中まで』（一九二〇）をヒントにしたものと思われます。またドキュメンタリー風に都市生活の一日を描くスタイルは、同じくドイツ映画の『伯林　大都会交響楽』（一九二七）や『ベルリンの市場』（一九二九）を意識しているのではないでしょうか。作者の本部は大阪新協劇団演劇研究会員という経歴の持ち主で、このシナリオを発表した当時は、沖縄の人気バンド「南の星楽劇団」でバイオリンとウクレレを担当していました。

本部は『演劇と映画』の一九五〇年五月号に、「映画と芝居」というエッセイを寄稿しています。その中で本部は、戦前のサイレント時代からの名作を観て解する者が本当の映画ファンだ、と主張していました。そして沖縄芝居は映画のダイアローグや場面転換、モンタージュの手法から学ぶことができると述べ、そのためには優れた映画を上映して観客と劇団に刺激を与えねばならない、という論を展開しています。

ただし本部のシナリオ「朝から晩まで」が描いているのは、復興した那覇の平穏な日常、米軍との共存関係のみであり、沖縄戦の傷跡や米軍支配下の生活苦には触れていません。

本部が具体的に映画化をめざしてシナリオを書いたのかどうかは不明ですが、時期的にはちょうど高良一が川平朝申らとともに米軍の協力を得て沖縄の復興を映画化しようともくろんだ時期と重なっています。もしかすると本部は、それを意識して本作を発表したのかもしれません。

高良や川平の企てが実現しなかったことは第九話で述べましたが、それを踏まえてか本部は一九五二年十二月六日から九日にかけて、『琉球新報』に「ファース『琉球プロダクション顛末記』」を連載しました。ファースとは「笑劇」のことで、本部は高良や川平のカリカチュアを登場させて映画製作の頓挫を風刺的に描き、「沖縄の映画産業は一場の夢物語として世人の記憶から消失してしまったのである」と結んでいます。

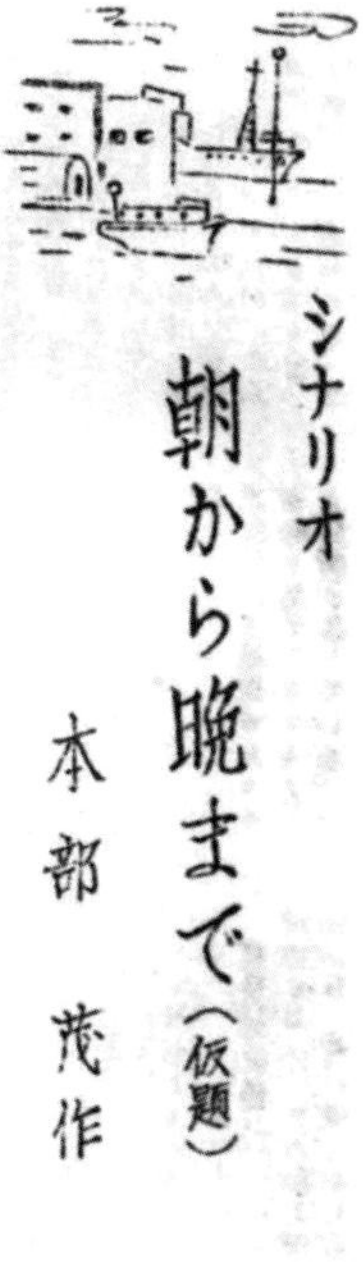

「朝から晩まで」のシナリオのカット（『演劇と映画』1950年6月号）

第二十六話　「群星」をめぐる十年

本書第二話「山本嘉次郎の島恋い」でも触れたように、戦前に映画化されたオヤケアカハチの物語をリメイクする動きが一九六〇年代にありました。中心になっていたのは、八重山出身の安室（北村）孫盛です。安室らはまず一九六〇年に、神山政良や式場隆三郎らを発起人として琉球映画芸術協会の設立に動きました。同年八月の設立趣意書では、琉球の古典・現代の名作の映画化や琉日合作などを掲げ、「当面のしごと」として一番目にアカハチを主人公とする映画「群星《むるかぶす》」の製作を挙げています。

さらに同年十二月には「群星」の製作へ向けた経過報告がなされました。それによれば、東京の有志の間でアカハチの映画化が検討されたのは、その年の一月のことだったようです。そしてやはり八重山出身の葦間冽《あしまれつ》が原作の執筆依頼を受け、七月末には約四〇〇枚の長編小説『群星』が脱稿しています。

葦間の本名は大濱英祐、戦後の八重山で小説や劇評を書いた人です。『群星』の執筆当時は四十代半ばで那覇に住み、琉球遠洋マグロ協会に勤務していました。葦間は首里・宮古の支配に抵抗した八重山の英雄・アカハチを、あくまでも一人の農民ととらえ、物語の背景としてさまざまな自然災害や搾取に苦しむ農民たちの姿を丁寧に描写しています。また労働歌のユンタを中心に八重山の古謡が数多く散りばめられ、一種の歌物語ともなっていました。

葦間は歴史資料に基づいた社会状況や八重山習俗を描きながら物語のリアリティを支える一方で、アカハチとツカサ（神女）の禁じられた恋やヤマトンチュの海賊との交流というフィクションも大胆に盛り込んでいます。もしかするとこの二つのフィクションは、石垣島の川平に伝わる仲間サカイと倭寇の青年の恋物語に想を得ているのかもしれません。

映画化にあたっては、戦前から活躍するベテランのカメラマン・宮島義勇が協力を快諾していました。宮島は戦時下では国策に協力していましたが、戦後は一転して東宝争議を主導した一人として知られています。また製作資金については、琉映貿の大城鎌吉社長が日活か東映の配給を条件に、六〇〇〇万円程度出資する予定だったという話が伝わっています。

一九六一年一月十五日付の『沖縄タイムス』は「映画化される〝群星〟」という見出しで原作者のインタビューと写真を掲載しました。記事はロケ開始を一月から二月の予定としていますが、原作者の大浜は「群星は総天然色になると思いますが、出来れば真夏に、八重山でロケをしてほしいねー、沖縄の風物は真夏のギラギラ照りつける太陽と、真愴《ママ》な海の色がなければねー」と語っていました。

さらに一九六一年四月二十九日付の『沖縄タイムス』夕刊は、「群星」の映画化について「東映の内田監督が体をのりだして製作に当たりたいといっているが、同監督の日程の都合で来年にもちこされるもようである」と報じました。一方、安室孫盛が一九六一年九月に奈良三郎名義で編集発行したパンフレット『大琉球（観光映画短編シリーズ三部作）』は、「群星」の映画化をめぐる葦問や内田のコメントを紹介しています。

けれども実際の製作は記録映画が優先されました。「群星」の方は具体的な進捗《しんちょく》状況が報じられていませんでしたが、一九六六年八月三日付の『琉球新報』夕刊に「オヤケアカハチの生涯を映画化」という記事が安室の顔写真入りで出ます。この記事では翌年一月から調査、八月クランク・イン、十月に編集終了というスケジュールに加えて、内田吐夢監督の名前や八重山ロケの予定も報じられていました。記事の中で安室は「過去の歴史的人

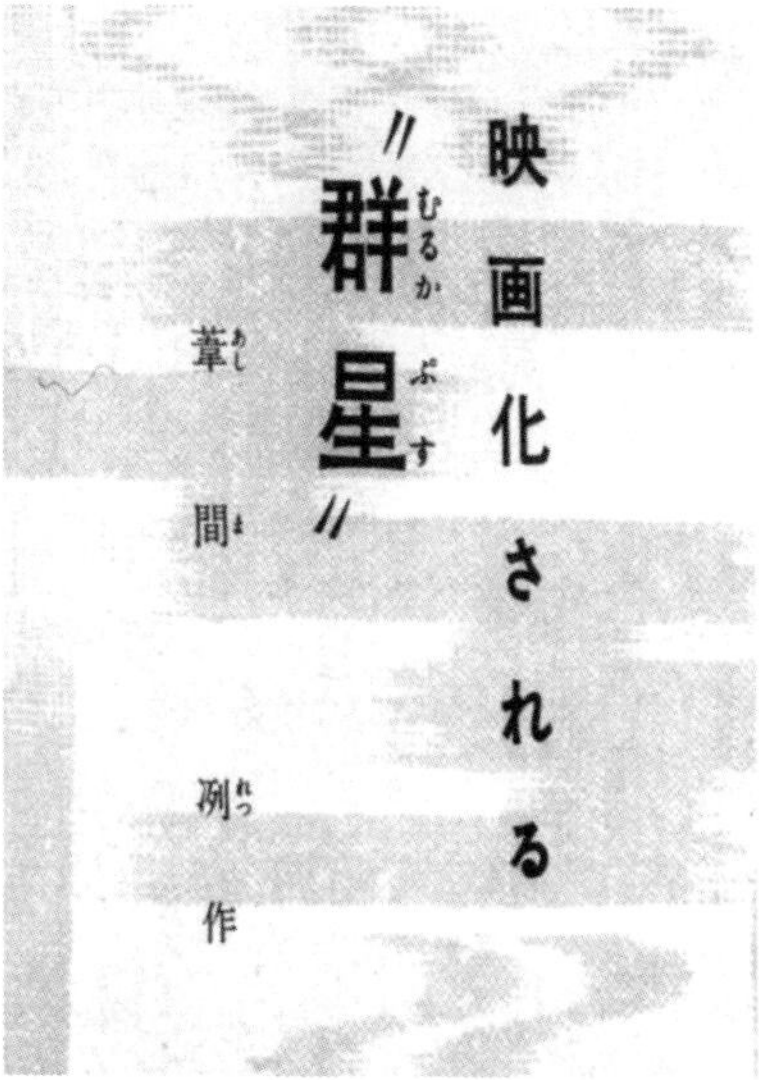

映画化を伝えるパンフレット『大琉球』中の記事

物として描くだけでなく、現代のわれわれにつながる考え方で、深く追求した芸術作品としてぜひ完成したい」と述べていました。

さらに二年後の一九六八年八月二十九日付の『琉球新報』夕刊の宮古・八重山版にも「オヤケアカハチ映画化準備進む」という記事が見えます。記事はこの企画が一九六〇年に画家の南風原朝光、詩人の山之口貘、ジャーナリストの宮良高夫らによって始まったことを紹介し、一九六九年二月から十月まで八重山の波照間、大浜、西表、川平などでロケが行われると報じているものの、具体的な準備は前回の記事からほとんど進んでいない印象です。

また一九六九年の『八重山毎日新聞』には、五月六日から八日にかけて「映画になるアカハチによせて」という安室のエッセイが載りました。安室は琉球の歴史をひも解きながらアカハチ映画の製作意義を語り、一九六七年九月にRBCの当間淳に依頼したシナリオが間もなく脱稿する、と述べています。

ところが詩人の伊波南哲がこれに咬みつきました。南哲は同年六月十日から十二日まで同じく『八重山毎日新聞』に「アカハチの映画化について」というエッセイを書いています。その中で南哲は、自分の長編叙事詩『オヤケ・アカハチ』を安室が借りに来た経緯を語り、今回の映画企画が自分の名前と作品を意図的に抹殺していると主張しました。

以上のように「群星」の企画は十年にわたって浮沈をくりかえしましたが、重厚な大作を得意とした巨匠・内田吐夢がオヤケアカハチの物語を監督する機会は、ついにめぐってきませんでした。

第二十七話　記録映画「大琉球」の行方

一九六一年四月十八日および二十九日付の『沖縄タイムス』夕刊は、琉球映画芸術協会による記録映画「大琉球」（三部作）の製作企画を報じています。映画は沖縄の伝統文化の素晴らしさを描く「琉球の祭り」、「琉球の民芸」（戦前の同名映画とは別作品）、「琉球の文芸復興」の短編三部作として構想されていました。シナリオを松本俊夫が書き、撮影は第二十六話に登場した宮島義勇が担当することに決まっていました。

琉球映画芸術協会は、映画による琉球文化の紹介や映画産業の育成などを目的に掲げて、一九六〇年に東京で設立されました。発起時の会長は在京沖縄県人会や沖縄祖国復帰促進協議会の会長を務めた神山政良で、後には式場隆三郎が継いでいます。このほか関係者として比嘉春潮、大浜信泉、南風原英佳、柳宗悦らの名前が見え、同年十二月には琉球政府の大田行政主席に設立趣意書を送って協力を要請しています。

翌一九六一年一月には、シリーズ第一作「琉球の民芸」製作準備の一環として「琉球映画と踊りを観る会」が催され、『琉球の民藝』（一九三九）、『琉球の風物』（一九四〇）、『海の民　沖縄島物語』（一九四二）など、沖縄を取り上げた戦前の文化映画が参考上映されました。同協会が一九六一年三月に配布した準備パンフレットによれば、同年二月にも沖縄の歴史と文化に関するスタッフ向けのゼミナールが相次いで開かれていたようです。

『大琉球（観光映画短編シリーズ三部作）』のパンフレット

そこで講師を務めたのは仲原善忠、比嘉春潮、田辺尚雄、東恩納寛惇、宮良當壮といった、沖縄学各分野の第一線で活躍する研究者たちでした。また同年七月一日付の『シナリオ（第一稿）大琉球（第一部）』という赤い表紙の冊子が配布されています。

さらにこの年には第二十六話でも触れた『大琉球（観光映画短編シリーズ三部作）』という、A4変型判三十二ページでカラー表紙のパンフレットが制作されています。どちらも発行は琉球映画芸術協会と沖縄文化協会の連名となっていました。

当初の予定では、第一作「琉球の民芸」は四月上旬にロケハン、五月から七月にかけてロケを行い、八月中旬には完成するはずでした。ところが実際にはまったく作業が進みません。作業が進まない最大の理由は、カメラマンの宮島義勇に沖縄への入域許可が下りないことでした。宮島が共産党員だったからです。

実はこの「大琉球」企画には、神山や式場といった表の顔ぶれとは別に、安室（北村）孫盛や衆院議員・帆足《ほあし》計といった左翼人脈が深く関わっていました。宮島も回想録の中で、企画を持ってきたのは共産党にいたことのある北村だった、とはっきり述べています。ちなみに安室は「北村」、「奈良三郎」のほか、いくつものペンネームを使っていました。

琉球映画芸術協会は一九六二年一月末に、島袋光裕とその門下の佐藤孝子、根路銘千鶴子、新屋昭子を東京に招き、琉球舞踊だけを先行撮影しています。その映像は、式場を団長とする医家芸術クラブが来沖していた四月十七日に、八ミリで撮られた「大琉球」製作レポートとともに桜坂琉映（現在の桜坂劇場）で試写されたということです。

そして一九六三年に入ると、カラーフィルム一万五〇〇〇フィートとミッチェルの三十五ミリカメラを沖縄に送り、現地のカメラマンが宮島の指示を受けて撮影するというプランが実行されました。

実はこの時送られたミッチェルのカメラは、特撮の神様・円谷英二が所有していたものです。おそらく戦前から同じ東宝にいた宮島とのつながりで貸し出されたと推測されます。そして現地で撮影を請け負ったのは沖縄芝居の映画化などを手がけていた山城茂で、古波蔵東清も一部撮影に参加しました。一方、宮島は一九六三年四月二十八日に行われた北緯二十七度線海上での「沖縄返還要求海上集会」を撮影するため、与論島に渡りました。こうした経緯の後、同年十一月に最初の短編作品『ニライの海』（一九六三）が、また翌六四年五月には第二作『沖縄　はまうり』（一九六四）が完成しています。

ただし琉球映画芸術協会の名前は次第に背後へと退いていきます。完成した映画はチェコなど当時の東欧共産圏の映画祭で上映され、東ドイツのライプチヒ世界映画祭では受賞作に選ばれたと報じられました。またこれとは別に『沖縄　望郷編』（一九六五）や『石のうた』（一九六五）が製作され、さらにはこれらの作品および未使用フィルムを再編集したとされる『沖縄　祖国への道』（一九六七）も公開されています。映像の使い回しを含めた相互の関係は錯綜していて未解明ですが、いずれにしても「大琉球」という当初のスケールの大きな構想は、タイトルも含めてどこかへ消えてしまったようです。

第二十八話　ジョン・ウェイン、沖縄に来る《きた》

ハリウッドの内幕を描いた映画『トランボ』（二〇一五）では、徴兵を猶予された愛国主義者として揶揄と批判の対象となったジョン・ウェインでしたが、映画史に一時代を築いた大俳優には違いありません。彼は何度か来日しており、ジョン・ヒューストン監督の『黒船』（一九五八）では日本ロケにも参加していました。ちなみにこの映画の公開英題は“The Barbarian and the Geisha（野蛮人と芸者）”で、公開時の邦題とは全く異なっていました。

『黒船』は江戸時代にアメリカの駐日領事を務めて日米修好通商条約を結んだタウンゼンド・ハリスの物語です。ロケは京都や奈良で行われ、東京の東宝スタジオでも撮影が行われました。山里将人の『アンヤタサ！』によれば、この日本ロケの時、沖縄で洋画の配給も手がけていた国映興業の渡口武彦専務がジョン・ウェインを表敬訪問し、コーヒーを

ふるまわれたそうです。

そしてベトナム戦争が泥沼化し、アメリカ国内でも批判や反戦ムードが高まりつつあった一九六〇年代後半、ジョン・ウェインは自らの製作・監督・主演で『グリーンベレー』（一九六八）を撮る決意をします。映画で戦争継続の意義を世論に訴え、米軍・米兵の立場を擁護しようとしたのは、もしかすると自身が第二次大戦に参加しなかったことに対する埋め合わせだったのかもしれません。撮影には米陸軍が全面的に協力していますが、当然ながらでき上がった映画は、アメリカのベトナム介入を正当化するための露骨な反共プロパガンダになっています。

この映画の制作に入る直前の一九六七年四月十二日、ジョン・ウェインは沖縄にやってきて、本島北部でのロケ計画をぶち上げました。おそらくベトナムの現地視察を終え、帰国する途次に立ち寄ったものと思われますが、当時の沖縄とベトナムの「距離の近さ」が感じられます。ちょうど那覇市のグランドオリオンでは、ジョン・ウェイン主演の西部劇『エルダー兄弟』（一九六五）が公開されている最中でした。

四月十二日付の『沖縄タイムス』夕刊は「〝あいきょう〟ふりまく　沖縄ロケで来島したジョン・ウェイン」という見出しとともに、同日の朝に行政府を訪れたジョン・ウェインが、女性職員に囲まれてサインする写真を掲載しました。そして「沖縄を空からも陸からも見たが、美しい島だ。もう一度来て映画をつくりたい」という記者会見での発言を伝えています。

翌十三日付の『琉球新報』夕刊には「六月に北部でロケ　映画グリーン・ベレー　ジョン・ウェインが語る」という見出しが掲げられ、楽しそうに笑うジョン・ウェインの写真が配されました。その記事では十二日に行われた記者会見の内容が、もう少し詳しく報じられています。ジョン・ウェインによれば、企画中の映画は「在沖米軍を中心にしたストーリーで、反戦というより人間がどのように戦っているかといったヒューマンな映画」なのだということでした。そして彼は沖縄本島の北部に撮影の適地があり、六月半ばから約二か月間のロケを行う予定で、沖縄住民には出演やセットの設営作業をしてもらう、とも語っています。

これらが単なるリップサービスでなければ、この時点の製作構想では、ベトナムに出撃する在沖米軍が物語に登場するだけでなく、山原地方の森をベトナムに見立てて撮影するつもりだったことになるでしょう。もしこれが実現していたら、久しぶりにハリウッド映画の沖縄ロケが行われるはずでした。実は沖縄では過去に何度かハリウッド映画のロケが行われており、『戦場よ永遠に』（一九六〇）ではサイパン戦が再現され、『海兵隊出動』（一九六二）でも戦闘シーンが撮影されています。しかしながらジョン・ウェインによる沖縄ロケはうやむやになり、実現していません。

本作の撮影はすべてアメリカ本国で行われており、ジョージア州のフォート・ベニングが主なロケ地となりました。映画の日本公開時のパンフレットには、そこの地形や風景が南ベトナムにそっくりだったからだと説明されていますが、完成した映像を見る限りではベトナムらしさはほとんど感じられません。また西部劇などでタフな男を演じ続けたジョン・ウェインですが、さすがに六十歳で最前線の特殊任務に就く姿は、体形的にも無理がありました。

しかも映画のラストシーンでは夕陽が海に沈みかけるのですが、本作の舞台となったベトナム中部は、陽が昇る東側にしか海がありません。この場面からは、ベトナムを本気で理解するつもりなどないまま本作を手がけたジョン・ウェインの姿勢がうかがい知れるのではないでしょうか。

第二十九話　「為朝と琉球」

一九五〇年代後半の沖縄では、映画製作プロダクションが相次いで設立されています。ただし、いずれも資本は脆弱《ぜいじゃく》で本格的な撮影・編集設備やスタジオは持っていませんでした。中には個人運営同然のものや、第十七話で触れた日東映画のように、一本の映画も制作しなかったところもあります。米軍統治下の沖縄における商業映画の製作は産業として成り立たないまま、本土の映画会社によるロケ進出とテレビ放送の開始という流れを受けて衰退してしまいました。

そうした中で、一九六六年に設立された琉球映画株式会社では、台湾の資本と提携して三本の合作映画を手がけています。そのうち『琉球之恋』（一九六六）と『夕陽紅』（一九六六）は台湾側の主導で撮影されており、実際に完成したかどうかは不明でした。最近になって社会学者の八尾祥平が、台湾側の資料から『琉球之恋』の完成・公開と『夕陽紅』の冒頭部分のフィルム断片を確認しています。

残る『太陽は俺のものだ（我的太陽）』（一九六六）は、琉球映画株式会社が本土の大映から西條文喜監督を招いて撮り、沖縄芝居の真喜志康忠も出演した作品です。ちなみに西條監督は作詞家・西條八十の甥《おい》にあたります。さらに翌一九六七年九月二十九日付の『琉球新報』には、西條監督が「為朝と琉球」の制作や俳優養成所の開設などのために来沖した、という記事が出ています。サイレント時代には為朝映画が何度か制作されましたが、琉球の場面の有無は不明です。また戦後に丸根賛太郎が監督した『弓張月』（三部作一九五五）では琉球が舞台となるものの、沖縄ロケは行われませんでした。これに対して西條監督は、沖縄で俳優を養成して為朝伝説の映画化をもくろんでいたようです。

同年十月十一日付の『琉球新報』夕刊は、その俳優養成所の内容を詳しく報じています。開設場所は宜野湾市大山で、募集人員は昼間・夜間を合わせて一〇〇人が予定されていました。養成所では発声法や基本演技、映画理論、芸能界のマナーなどの講義が行われ、六か月の養成期間を終えると西條監督の作品などに起用する構想でした。西條監督は談話の中で、自身の次回作としてやはり「為朝と琉球」を挙げていますが、実際に制作された形跡は見当たらず、俳優養成所の計画がその後どうなったのかもわかっていません。

第三十話　東映の海洋映画

一九六〇年七月十日付の『琉球新報』には〝沖縄ロケで海洋劇を〟という見出しがあります。記事は、東映の大川博社長が高倉健、里見浩太郎、花園ひろみ、山東昭子という四人のスターとともに来沖したことを伝えるものです。那覇空港では、東映系の作品を配給・上映する琉映貿の大城鎌吉社長らが出迎え、ロビーは詰めかけた大勢のファンで溢れました。一行は同日に桜坂琉映館で催される「館主大会」と「東映友の会沖縄支部」の発会式に招かれたもので、俳優陣はそれぞれの会で舞台挨拶する予定だと報じられています。この時期、東映は新たに第二東映を発足させて製作体制を強化し、二本立て興行の主導権を握ろうとしていました。

そして先ほどの『琉球新報』の記事には「現在沖縄ロケの計画はないが、近い将来カラーで、沖縄の海と空のきれいなのをとり入れた海洋劇を製作する考えをもっている」という大川の談話が紹介されています。もちろんこの時点では、来沖した映画会社の関係者や監督、脚本家らが必ず口にするリップサービスの類だったと思われます。

　けれども、もしかすると大川の脳裏には、前年に松竹が製作公開した沖縄ロケ作品『海流』（一九五九）のことが浮かんでいたかもしれません。『海流』はカラーで横長のワイドスコープ画面が採用されていました。対する東映は創立間もない時期の経営危機を、『ひめゆりの塔』（一九五三）の大ヒットによって脱したという経緯があります。沖縄とのつながりを自任していた東映としては、現地ロケで松竹に先を越されたという思いも多少はあったのではないでしょうか。

　さらに一九六〇年七月二十三日付の『琉球新報』夕刊によれば、琉球政府の大田行政主席らが出席した歓迎会の席上で、沖縄を舞台とする映画の製作が大川社長に要望されています。大川はこれを了承し、「島民はこぞって日本への帰属を望んでおり、日本への郷愁が、沖縄を舞台にした映画製作の要望となって現われ、またこれを機会に再び帰属運動を盛り上げようという意図が感じられる」との認識を示したようです。大川の意向を受け、東映では坪井企画本部長が製作の検討を始めたとされますが、その後具体的な企画は報じられていません。

第三十一話　小林旭の『嵐を突っ切るジェット機』、来沖せず

一九六一年十月十一日付の『沖縄タイムス』夕刊には「小林旭ら沖縄ロケに十四日来島」という小さな記事が出ています。蔵原惟繕《くらはらこれよし》監督の日活映画『嵐を突っ切るジェット機』（一九六一）が十五、十六日に沖縄ロケを予定している、という内容です。さらに同紙十月十三日付の夕刊は「小林旭らあす来島」という見出しに旭の顔写真を添え、蔵原監督や主演の小林旭、笹森礼子ら来沖する総勢十八名のキャスト・スタッフの名前を挙げています。その中には当時の美術担当で、後に『夢のまにまに』（二〇〇八）で世界最高齢の長編監督デビューを果たす木村威夫《たけお》の名前も見えます。

小林旭は前年の一九六〇年末から六一年元旦にかけて、那覇の琉映本館と桜坂琉映で行われた実演ショーのために来沖したことがあります。その時いっしょにステージに立ったのは、浅丘ルリ子と笹森礼子でした。旭とルリ子は「渡り鳥」シリーズなど多くの映画で

コンビを組み、実生活でも同棲していました。沖縄のホテルで二人が同じベッドにいたという従業員の目撃情報もあります。けれども『嵐を突っ切る―』ではそのルリ子ではなく、笹森礼子が旭の相手役に抜擢されました。

タイトルからもわかるように、本作で旭が演じるのはジェット機のパイロットです。日活アクションには、小型機やヘリコプターの操縦士が活躍する「航空モノ」というジャンルがあり、旭も「都会の空の」シリーズ（一九六〇―六一）や『太平洋のかつぎ屋』（一九六二）に主演してきました。『嵐を突っ切る―』での旭は、航空自衛隊のアクロバット・チームに所属していますが、任を解かれて謹慎処分を受け、元・戦闘機乗りの兄が経営する小さな航空会社に身を寄せます。ところが中国人ギャングが兄の弱みにつけ込んで、沖縄への麻薬密輸や国外逃亡の片棒を担がせたため、最後は旭が追跡して南の島で銃撃戦と格闘をくり広げることになります。

一九六一年十月十四日付の『琉球新報』は、日活ロケ隊の来沖が二十四日ごろに延期となったと伝えました。台風二十四号の被害で東京での撮影スケジュールが狂ったためというのがその理由でした。結局その後の来沖報道がないまま、映画は十一月一日（沖縄では十二月十五日）に封切られており、沖縄ロケは幻に終わったと考えられます。撮影には航空自衛隊が協力してジェット戦闘機を飛ばし、ブルーインパルスもアクロバット飛行を披露していました。けれども沖縄の場面は明らかに不自然なセット撮影で、しかも沖縄の店員と本土からの渡航者が英語で会話しています。

第31話　小林旭の『嵐を突っ切るジェット機』、来沖せず

第三十二話　大島渚のミュージカル映画

大島渚は沖縄が本土復帰する以前の一九六九年十二月に、初めて沖縄の地を踏んでいます。親交のあった竹中労の誘いに応じたもので、脚本家の田村孟、佐々木守とともに船で渡り、現地で竹中と合流しています。コザではホテル京都に泊まり、竹中の紹介で詩人の備瀬善勝や作曲家の普久原恒勇、唄者の嘉手苅林昌、RBCの上原直彦といった面々に会いました。この出会いがなければ、大島が復帰直後の沖縄で『夏の妹』（一九七二）を撮ることはなかったかもしれません。

もちろん大島は、映画を撮りたいと考えて沖縄を訪れており、後に「実は、沖縄へ渡った時、私がひそかに抱いた作品のイメージは、沖縄人と黒人による暴動のミュージカルだった」と述べています。偶然にも大島たちの滞在からちょうど一年後の一九七〇年十二月、米軍支配に反発する沖縄民衆のコザ暴動が発生します。しかもそのきっかけは、大島たちが泊まったホテル京都の前で起きた米兵車両による人身事故でした。それはともかく、大島が現地で思い知ったのは、本土から来た自分が沖縄について語ること、いわんや映画を撮ることの難しさだったといいます。

一方、大島を沖縄へと誘った竹中も、当初は「映画の構想は、混血児問題をテーマに、〝伊予の松山兄妹心中〟的な香り高き血とエロチシズムを発揚せんとす。プランナーである余は、その素材をこの差別の島に求めて、ひたすら東西奔《ママ》走。」とはりきっていましたが、結局「大島、田村、佐々木と余は、ミュージカル映画の構想をいだいて沖縄に渡り、構想を放棄して〝本土〟に帰り来れるなり」と挫折を味わいます。

大島が実際に沖縄で映画を撮るのは『夏の妹』まで待たねばなりません。ただしその前に大島は、日本舞踊家・川口秀子（初代）の依頼を受けて、謝花昇の妻・清子と伝説の歌人・吉屋チルーがお互いを相照らす『琉球怨歌』（一九七二）という、前衛的な舞踊劇の台本を手がけています。川口は大島の『白昼の通り魔』（一九六六）に出演したことがありました。また大島の台本を舞台で演出したのは、川口の夫で演劇評論家・映画監督でもある武智鉄二です。武智は沖縄の米軍支配を象徴的に描いたとされる『黒い雪』（一九六五）でわいせつ図画公然陳列罪に問われ、裁判の末に無罪となっています。

第三十三話　熊井啓の「沖縄心中」

熊井啓は監督デビュー作となった『帝銀事件　死刑囚』（一九六四）以来、『サンダカン八番娼館　望郷』（一九七四）や『海と毒薬』（一九八六）などで社会派監督として知られていましたが、映画の中で何度か沖縄にも触れています。たとえばＣＩＡが戦後の日本で行った謀略活動を描く監督第二作の『日本列島』（一九六五）では、物語の終盤で沖縄の実写フィルムが流れました。宇野重吉が扮する主人公の秋山は、拉致《らち》された元日本軍特務機関少佐の行方を追って米軍政下の沖縄に向かいますが、現地で元少佐とともに殺害され、警察の捜査も迷宮入りとなるのです。

また遠藤周作の原作による『愛する』（一九九七）は、浦山桐郎監督の『私が棄てた女』（一九六九）のリメイクでしたが、熊井はヒロインの恋人を沖縄出身の青年に設定しました。作中には沖縄居酒屋の場面が何度か出てきて、りんけんバンドの楽曲も挿入されています。

そんな熊井が沖縄そのものに取り組もうとしたのが「沖縄心中」という企画でした。この企画は熊井が沖縄に詳しい竹中労、芸術系映画の製作・配給を手がけるATG（日本アート・シアター・ギルド）のプロデューサー・葛井欣士郎と三人で会った際に、沖縄についての話が出たことがきっかけとなったようです。その中で慶良間諸島が話題となり、熊井は太平洋戦争末期の渡嘉敷島における「集団自決」をテーマに決めたと言います。

この企画が持ち上がったのは、ちょうど熊井が広島テレビで芸術祭参加用のドキュメンタリー作品『光と風の生涯』（一九七〇）を演出する前後ですから、時期的には一九七〇年ごろのことでしょう。熊井自身は当時を振り返って、仕事に飢え、かつ「何よりも『沖縄』に憑かれていた」と述べています。製作費がわずか一二〇〇万円というATGの低予算枠にもかかわらず、熊井は三時間超のカラー作品を構想し、スタッフとキャストを率いて沖縄に渡るつもりでいました。

この企画に関わった竹中によれば、熊井は書き上げた脚本の第一稿を沖縄の備瀬善勝や宮城賢秀に見せて意見を聞き、それを反映させた稿を葛井らATG側に提出していました。竹中は『キネマ旬報』誌上で、その内容について「たとえば、〝コザ反乱〟を再現するハプニング・モブシーン、アングラ芝居の手法をとり入れての仮面劇、徹底的に長時間のベッド・シーン、音楽効果としては、嘉手苅林昌のウタ・サンシンのみといった具合に、ATG映画の常識をなべて突き崩すことを旨とした」と述べています。

　けれども「沖縄心中」が棚上げになっているうちに、熊井は日活時代に吉永小百合の主演で撮ろうとして頓挫したままになっていた『忍ぶ川』（一九七二）を東宝で手がけることになります。しかもその最中に倒れて入院し、大手術を受けました。そうした経緯も手伝って撮影に入るための諸条件は整わず、「沖縄心中」の企画が具体的に動き出すことはありませんでした。その一方で葛井欣士郎は本土に復帰したばかりの沖縄を舞台に、大島渚の創造社との共同で『夏の妹』をプロデュースしています。

第三章　本土復帰後

第三十四話　尖閣諸島をめぐる映画

沖縄の本土復帰をはさんだ一九七一年から七二年ごろにかけて、『沖縄通信　群星《むるかぶす》』という、八ページないしは四ページの薄い冊子が不定期に発行されていました。私の手元にはその第一号から第四号までのコピーがありますが、それ以降も発行されたかどうかはわかっていません。発行元は「沖縄通信社（後に南島通信社）」で、その所在地は「那覇市二中前23」となっています。発行人や編集責任者は明記されておらず、論説も大半が無記名ですが、おそらく安室（北村）孫盛が何らかの形で関わっていたと思われます。第一号と第四号に見える「赤嶺三郎」という執筆者名も安室のペンネームではないでしょうか。

『群星』にくりかえし掲載されているのは、アメリカ帝国主義と日本軍国主義の打倒、反米闘争を通じた沖縄と中国の連帯という主張ですが、その中で特に目立つのが尖閣諸島の領有問題への言及です。中でも第四号は「『釣魚島』の映画化について」という論説が紙面の大半を占めていました。それによれば、この映画は五十分の上映時間が予定され、そのあらすじを要約すると以下のようになります。

「釣魚島諸島は中国の領土であり、琉球と中国を往来する航海上の道標だったが、日本の琉球併合によって中国との交流は閉ざされ、島々の存在も忘れられていた。そして日清戦争の勝利を前に日本がこの島々を併合する。沖縄は日本の敗戦で解放されたが、今度はアメリカが沖縄を支配し、台湾から釣魚島諸島を奪った。日本復帰を果たした沖縄人民は、米軍基地撤去と日本による植民地支配の打破をめざし、釣魚島諸島が中国に返還されて日中友好の道標となる日を待ち望んでいる……」

尖閣諸島をめぐるこうした主張は、中国や井上清の『「尖閣」列島―釣魚諸島の史的解明』とほぼ同じ立場であり、尖閣諸島を射爆場にしていた米軍への反発も込められていると思われます。すでに第二十六話、二十七話で見たように、安室は一九六〇年代から七〇年代初めに数多くのドキュメンタリー映画を製作・公開し、オヤケアカハチを描く「群星」の映画化もめざした人物ですが、本作についてはどこまで具体的な動きがあったのかわかっていません。

第三十五話　竹中労と沖縄映画

思想家、ジャーナリスト、作家、映画監督など、沖縄で活動した本土の文化人は枚挙に暇《いとま》がありません。その中でもひときわ異彩を放っているのが、元祖ルポライターの竹中労でした。竹中は島唄の紹介や琉球フェスティバルの実現など、音楽との結びつきが思い浮かびますが、映画との関わりも深い人物です。

たとえば剣戟スターの「アラカン」こと嵐寛寿郎への聴き取りをまとめた『鞍馬天狗のおじさんは』は、映画人へのインタビュー史に名を刻む出色の一冊です。その中で竹中はアラカンから、今村昌平監督『神々の深き欲望』（一九六八）での南大東島ロケのおもしろいエピソードなども引き出しています。

第三十二話、三十三話でも名前を挙げたように、竹中は沖縄での映画製作にたびたび協力していました。たとえば終盤に沖縄の場面が出てくる中島貞夫監督のドキュメンタリー映画『にっぽん'69セックス猟奇地帯』（一九六九）では、竹中の名前が「構成」としてクレジットされています。布川徹郎らの『モトシンカカランヌー』（一九七〇）でも製作に協力し、また『博徒外人部隊』（一九七一）ではロケ隊が沖縄入りする前に、深作欣二監督が竹中を訪ね、沖縄の裏社会や売春地帯についてレクチャーを受けたそうです。

　本土復帰直後に沖縄で『夏の妹』を撮った大島渚も、竹中の現地人脈に助けられた一人です。ただしその際、「琉球に身を寄せる」志を失ったとして、大島の商業主義的・権威主義的姿勢を批判する竹中と、現地で受けた支援や商取引きを含め、あくまでも自分のやり方で映画を撮ったに過ぎないとする大島の間で対立が生じ、『キネマ旬報』誌上などで論争がくり広げられました。

　一方、千葉真一が主演した中島貞夫監督『沖縄やくざ戦争』（一九七六）について、竹中は「原案・竹中労である。どのような作品になるのか、出来上りを見てから、タイトルに名前を出すか否かきめようと思う」と述べていました。ところが公開された映画には「琉歌指導」としてのみ名前がクレジットされています。第三十八話で後述しますが、この作品の原型は笠原和夫の「沖縄進撃作戦」という脚本で、モデルになった人々への配慮から映画化が見送られたままになっていたものです。竹中と笠原の間に交流があったことは確かですが、竹中が笠原の脚本や『沖縄やくざ戦争』にどう関与したのか、具体的なことは調査が不十分です。

一方、竹中は自ら何度も映画製作を企てており、その中には沖縄を舞台にした「あかばな心中」という作品も含まれていました。竹中によれば、これは「琉球ミュージカル」で、「〝ニッポン復帰〟の一九七二年五月、沖縄でじっさいにあった姉弟心中」をモデルにした物語だということです。ただし別な資料には「混血の兄妹心中物語」とあり、どちらが正しかったのでしょうか。

またミュージカルというスタイルや「兄妹心中」というテーマは、第三十二話で取り上げた大島渚の企画や第三十三話で取り上げた熊井啓の企画を思わせます。クランク・インは一九七九年七月と発表され、監督は竹中自身が「夢野京太郎」名義で務め、主役には岩城滉一を起用することが決まっていました。その他の出演予定者としては、ジョー山中、内藤やす子、北公次、内田裕也らの名前が挙がっています。

このうち岩城滉一は、一九七七年に覚醒剤取締法違反と拳銃所持の容疑で逮捕されていました。同じ年にジョー山中、内藤やす子、内田裕也も、それぞれ大麻取締法違反容疑で逮捕されており、北公次はクランク・イン直前の一九七九年四月に覚醒剤取締法違反容疑で逮捕されています。そう、竹中はあえて「檻に入れられた」スキャンダルまみれのタレントを起用してこの映画を作ろうとしていたのです。

その内容について竹中は、ピンク映画の名優・野上正義（通称ガミさん）との対談の中で「『あかばな心中』って未完に終わってしまった映画なんだけども、非常に不思議な役でね、基地ジャックやっちゃう変なオトコジョー山中の混血児、岩城晃一のカラテやくざとか、ガミさんは間ちがって事件の主役になって行くという。まあ、内田裕也にオレをやらせてとか、ね。」と語っています。

また別なところでは「この映画はおそらく、ものすごく猥セツな作品になるだろう（ポルノチックという意味だけではなく）。『愛のコリーダ』とはまたちがった反権力の志を、『けっしてあきらめない人間たち』（大島渚）を、私たちは描きたいと思う」とも述べていました。

「あかばな心中」は先島などでのロケハンと実景の撮影が行われただけに終わったと聞いています。竹中の遺稿等を管理している人によれば、その時のフィルムと台本は残っているということですので、もし機会が得られれば企画の全貌を明らかにしたいと思います。

第三十六話　007シリーズと沖縄

ジェームズ・ボンドが活躍する007シリーズの第五作『007は二度死ぬ』（一九六七）は、ほぼ全編が日本でロケされました。丹波哲郎、浜美枝、若林映子のほか、横綱・佐田の山も特別出演し、ある島の火口に国際犯罪組織スペクターの巨大な秘密宇宙基地があるという設定でした。ただし、諜報《ちょうほう》員なのに日本ではボンド役のショーン・コネリーが目立ちすぎて、いくら変装しても日本人に見えませんでした。また日本の特殊部隊が忍者みたいに手裏剣を投げるなど、笑えるツボも多かったと思います。

本作には「大里」というスペクターの幹部が登場していますが、沖縄との関係はわかりません。その一方で、沖縄から小林流空手の若手指導員が請われてロケに参加したという未確認情報もあります。

実はこの『007は二度死ぬ』から十年後、シリーズ第十作となったロジャー・ムーア

沖縄国際海洋博覧会の目玉となった人工島「アクアポリス」
（那覇市歴史博物館提供）

主演の『私を愛したスパイ』（一九七七）でも、製作陣は日本ロケを検討したということです。そのきっかけは「沖縄に巨大な海中都市がある」というルイス・ギルバート監督の発言でした。

この海中都市とは、沖縄国際海洋博覧会（一九七五―七六）のシンボルだった半潜水型の人工島「アクアポリス」のことです。アクアポリスは未来の海上都市をイメージして広島の三菱重工が建造し、沖縄へと曳航されました。

これがボンド映画に登場する浮潜自由な巨大海中都市「アトランティス」のモデルとなったのです。ちなみにアクアポリスの展示をプロデュースしたのは手塚治虫で、彼によるイメージ画なども残されています。また『私を愛したスパイ』では秘密裏に沖縄での撮影も行われていました。そのうち実際に使われたのは、魚たちが泳いでいる水槽の映像だけであり、ジェームズ・ボンドが沖縄に上陸したという情報は見当たりません。

そしてこの『私を愛したスパイ』からさらに二十年後、今度はピアース・ブロスナン主演の同シリーズ第十八作『トゥモロー・ネバー・ダイ』（一九九七）で、ボンドが沖縄のアメリカ空軍基地から南シナ海へと調査に向かう場面があります。残念ながら沖縄での現地ロケはなく、しかもＧＰＳ装置の地図にはなぜか台湾より大きな沖縄本島が表示されていました。

第三十七話　松田優作の「海燕ジョー」

山口県出身の吉田豊が十六ミリのモノクロで自主制作した『沖縄列伝第一　島小《しまぐゎ》』（一九七八）というドキュメンタリー映画があります。これは金武湾のＣＴＳ闘争を取り上げ、そこに関わる人々の姿と思いにカメラとマイクを向けた内容で、喜納昌吉の演奏やインタビューも含まれていました。この作品でナレーションを担当しているのが、下関第一高校（現在の県立下関中等教育学校）で吉田と同級生だった松田優作です。また優作は、自ら監督・主演を兼ねた『ア・ホーマンス』（一九八六）の中で、沖縄のＡナンバーを付けたバイクに乗って登場し、主人公とベトナム戦争のつながりを暗示していました。

そしてもう一つ、優作がもっと深く沖縄と関わるはずだったのが、直木賞作家・佐木隆三の小説『海燕ジョーの奇跡』の映画化でした。佐木は本土復帰前後の沖縄で暮らしたことがあり、二人目の妻は石垣島の出身でした。物語は一九七四年に勃発した沖縄の第四次ヤクザ抗争をモデルにしたフィクションです。フィリピン人の父親を持つ混血の主人公・ジョーは、上部組織の理事長をクラブで射殺して逃亡し、元革命活動家の手配でサバニに乗ります。そして与那国から台湾へ逃げ、さらにはフィリピンへと渡って父を訪ねます。

この小説の映画化は、一九八〇年ごろにまず東映が松田優作の主演で企て、「仁義なき戦い」シリーズなどで知られる深作欣二が監督に予定されていました。深作は沖縄から与那国、フィリピンまでシナリオハンティングに出かけており、すでに準備稿まで刷り上がっていたということです。優作の方も出演に意欲を見せ、脚本の手直しにかかっていた深作を訪ねたりもしています。もしかすると優作は、父の顔を知らないジョーの姿に自身の生い立ちを重ねていたのかもしれません。

けれども深作は主人公であるジョーのイメージを「人なつっこくて明るくて（中略）ポリネシアンみたいに目玉の真ん丸いかわいい男」ととらえており、「シャープでニヒルでスマート」な優作の個性との間には大きなギャップがありました。結局脚本の直しは難航し、また内容をめぐる対立も生じたため、優作主演での東映版は実現しませんでした。佐木の原作はその後三船プロと松竹富士の共同製作で一九八四年に映画化され、主役のジョーには時任三郎が起用されています。

第三十八話　笠原和夫の「沖縄進撃作戦」

戦後の日本映画界において、私が「大脚本家」と呼びたい存在は二人います。一人は橋本忍です。『羅生門』（一九五〇）や『七人の侍』（一九五四）など黒澤明の監督作品を数多く手がけた人で、後には『日本沈没』（一九七三）、『八甲田山』（一九七七）といった大作を書き、自ら監督も務めた『幻の湖』（一九八二）は奇作としてカルト的に評価されています。その橋本と双璧を成すのが、東映でヤクザ映画を中心に昭和の裏面史・暗黒史を描き続けた笠原和夫です。笠原の代表作には『日本暗殺秘録』（一九六九）や『仁義なき戦い』（一九七三）などがあります。

笠原はシナリオハンティングで少なくとも二度沖縄に来ています。最初は本土復帰前に製作された藤純子主演の『日本女侠伝・激斗ひめゆり岬』（一九七一）の取材でした。この時笠原は、戦禍で一族の血筋が途絶え、屋敷だけが点在する本島南部一帯の風景に衝撃を受けています。ただし完成した映画は笠原脚本の意図が十分に反映されず、ひめゆり学徒の悲劇も、「遊人《あしばー》」や「戦果あぎやー」といった沖縄独自のエネルギーの噴出も、本土を介した反米ナショナリズムで包み込まれてしまいました。

その後笠原は改めて沖縄に取材し、第一次から第四次にわたる壮絶なヤクザ抗争を下敷きに、まさしく入魂の脚本を完成させています。タイトルは「沖縄進撃作戦」、一九七五年のことでした。この脚本は米軍の艦砲射撃に始まり、続いて「PW無情」の唄に重ねながら捕虜収容所の様子が描かれます。そして物語が動き出すのは、軍作業員としてトラックを運転していた石川健吉が、戦果あぎやーの首領・国上英雄と出会うところからです。最初二人は拳を交えて激しく格闘しますが、やがて石川は国上の度量を目の当たりにして弟分となります。

国上のモデルはコザを本拠地として山原派を率いた新城喜史です。笠原の描く国上はヤマトや米軍への憎悪をたぎらせ、素朴な人懐こさと残忍な暴力性をあわせ持っています。その姿には、深作欣二が復帰前の沖縄でロケを敢行した『博徒外人部隊』に登場する隻腕の遊人《あしばー》・与那原のイメージがダブって見えるでしょう。

「沖縄進撃作戦」の脚本は、笠原の遺作集『映画はやくざなり』に収録されています。

戦果あぎやーで名を売った国上英雄はやがてコザの顔となり、那覇の一派と対立する一方で、野戦服に血で描いたPW旗を掲げて日の丸を焼き、「沖縄は沖縄に帰りゃえ」と言い放ちます。その言動は、沖縄以外のどこへも還元されない純粋な民族ナショナリズムを体現していました。けれども戦後の復興が進む中で、彼の遊人気質は時代遅れとなり、沖縄のヤクザを取り巻く情勢も本土復帰に向けて急速に変化していきます。

これに対して国上の弟分・石川は、空手家の小波本に辻決闘で敗れ、彼の弟子となります。小波本は、本土最大のヤクザ組織ともつながる沖縄右翼の大物で、沖縄の反共拠点化をめざす本土の保守・右翼勢力の意向を受け、石川を進撃の楔として沖縄ヤクザを分裂させます。小波本のモデルは、沖縄における東映の上映・配給元である琉映貿の社長に就任していた宜保俊夫です。笠原も実際に沖縄で宜保に会っていました。

「沖縄進撃作戦」は中島貞夫が監督する予定でしたが、まだ抗争の記憶が生々しく、宜保を含めた関係者への配慮から製作に至りませんでした。ところが翌年、中島監督はこの脚本を下敷きにして『沖縄やくざ戦争』（一九七六）を撮っています。凄惨《せいさん》なリンチや抗争の描写、千葉真一扮する国頭（＝笠原脚本の国上）の暴力性やヤマトへの憎悪などは笠原脚本から引き継がれていましたが、宜保に関わる部分は丸ごと削られました。その結果、沖縄をめぐる政治情勢や岸信介の反共デルタ構想といった大きな時代背景が失われ、映画のスケールは笠原脚本に比して著しく縮小しています。

ところで竹中労によれば、笠原は沖縄で死んだ船本洲治《しゅうじ》についても書こうとしていました。船本は沖縄に潜伏中の一九七五年六月二十五日、「海洋博粉砕」「皇太子訪沖反対」を叫びながら嘉手納基地のゲート前で焼身自殺した元・広島大生です。笠原が船本を主人公にどういった物語を構想していたのかは不明ですが、こちらは映画化云々以前に脚本自体が幻に終わったようです。

第三十九話　金城哲夫のゴジラ映画

二〇一八年の春に公開された劇場版『ウルトラマンジード　つなぐぜ！　願い!!』では、沖縄が主な舞台となって現地ロケも行われました。これを「ウルトラマンの里帰り」といった気分で受け止めたのは、おそらく私だけではないでしょう。同じような感覚で映画館に足を運んだ観客が、沖縄には少なからずいたことと思います。言うまでもなくそれは、テレビ放映初期のウルトラシリーズで、沖縄出身の金城哲夫や上原正三が中心的役割を果たしていたからです。

その一方で『ウルトラマンジード』に登場したヒロインの比嘉愛琉《あいる》や獅子聖獣・グクルシーサー、謎めいた古文書の存在などは、東宝映画『ゴジラ対メカゴジラ』（一九七四）を思い起こさせます。その『ゴジラ対メカゴジラ』は沖縄の本土復帰を踏まえて企画製作された作品で、一九七三年の若夏国体とともに復帰のシンボル的イベントとなった沖縄国

金城哲夫（松風苑 金城哲夫資料館提供）

際海洋博覧会の準備工事中という時代背景を持っていました。この時すでに円谷プロを退社して帰郷していた金城哲夫は、その海洋博で開・閉会式などの演出を手がけ、記録映像の展示・撮影にも関わっていました。

『ゴジラ対メカゴジラ』は沖縄でロケが行われ、哲夫が脚本の指導を受けた関沢新一や円谷時代に縁のあった福島正実が原作を担当していました。にもかかわらず、哲夫が直接関与する機会がなかったのは惜しまれるところでしょう。劇中に登場して古代の予言解読に取り組む考古学者の「金《かな》城《ぐすく》」という姓に、哲夫とのかすかなつながりが感じられるに過ぎません。

ただし実相寺昭雄が述べているように、『ゴジラ対メカゴジラ』が製作される前の段階では、沖縄を舞台にした別なゴジラ映画の物語が哲夫と満田穧《かずほ》の共同名義で書かれ、円谷プロから東宝に企画提案されていました。タイトルは「ゴジラ・レッドムーン・エラブス・ハーフン　怪獣番外地」です。製作には至らなかったこの企画は、タイプ印刷されたシノプシスの形で残っており、そのうちの一冊が南風原町にある哲夫の実家「松風苑」の金城哲夫資料館に保存されています。

隻眼で翼を持つ月の怪獣・レッドムーンが、アメリカの月探検隊の調査活動をきっかけに地球へ飛来し、東京に現れます。自衛隊の攻撃を受けた怪獣は驚いて反撃しますが、光化学スモッグには弱さを見せます。

同じころ、琉球列島のハブ島でも古代怪獣エラブスが目覚め、その長寿エキスで一儲けを企む連中がダイナマイト攻撃を仕掛けました。怒るエラブスに対し、ミサイル基地や毒ガスの貯蔵基地を守るために米軍が出動しますが、毒ガス攻撃は逆効果でエラブスを毒ガス怪獣に変貌させてしまいます。このあたりの展開は哲夫が『帰ってきたウルトラマン』で一作だけ脚本を書いた第十一話『毒ガス怪獣出現』（一九七一）を思わせます。

東京では怪獣同士を戦わせて共倒れを狙う作戦が採択され、レッドムーンをハブ島へと誘導します。ところが怪獣はお互いに一目ぼれ、仲睦まじくどこかへ姿を消しました。やがて二頭の間にはハーフンが生まれましたが、長寿エキスを狙う連中がハーフンを殺したため、親獣たちは怒り狂います。再び米軍が攻撃を開始しますが、そこへ今度はゴジラが現れて二対一の戦いとなります。

物語は大人の身勝手さに対し、蛇好き少年たちの純真さが強調されており、いかにも夏休みの子ども向け作品という感じです。当時の哲夫が地元の放送局でキャスターや司会を務めながら、劇団活動に深く関わり、沖縄芝居の脚本を書いていたことを考えると、本作は一見円谷時代に戻ったかのような印象を与えるかもしれません。けれども、そこには在沖米軍や毒ガス基地の存在がはっきりと描かれていますし、琉球の島が再び「戦場」として選ばれる展開も見逃せないでしょう。

また月と琉球の怪獣の間に生まれた幼獣がハーフンと名付けられている点も含め、「わがふるさと沖縄の悩みをシリアスに訴えて行くこと」という哲夫の思いが込められていたと考えられます。監督に「帰ってきたウルトラマン」シリーズの第三十三話『怪獣使いと少年』（一九七二）を演出した東條昭平が予定されていた点も注目されます。上原正三脚本によるこの第三十三話は、人間の心に巣食う差別意識や身勝手さ、群集心理の愚かさをえぐり出す、シリーズ中屈指の痛烈なエピソードになっていたからです。

第四十話　トラック野郎、沖縄を爆走？

鈴木則文が監督した「トラック野郎」シリーズは、桃次郎（菅原文太）とジョナサン（愛川欽也）の凸凹コンビで一世を風靡しました。これは一種のロードムービーで、電飾ギラギラのデコトラが日本全国を駆け巡ります。その中で沖縄がらみのエピソードが二度描かれています。最初は第五作の『度胸一番星』（一九七七）でした。千葉真一率いるジョーズ軍団の一人が、自分の故郷について「俺は沖縄だ。飛行場の冷てぇコンクリートの下で眠ってるよ」と言い、在沖米軍による土地の強制収用を示唆していました。二度目は第九作『熱風5000キロ』（一九七九）の最後で、石垣島へ帰る女の元へ幼い娘を届けるために、桃次郎が一番星号で爆走するのです。

実はシリーズ第八作を前に、鈴木監督はマンネリ化という声を払拭《ふっしょく》すべく、沖縄ロケを計画していました。鈴木の『新トラック野郎風雲録』によれば、タイトルは「波濤を越える一番星」で、内容的には「日本の米軍基地の七〇パーセントを背負わされている沖縄の悲しみと、戦争混血児だった母とその娘に桃次郎がからむ〈母もの〉にしよう」と考えていたということです。桃次郎が惚《ほ》れるマドンナには「琉球王朝の末裔の美女」を登場させ、ライバルとなる沖縄出身のトラック野郎には、黒人米兵を父に持つ空手の達人というキャラクターが設定されていました。

しかし鈴木監督が提出した企画は、南はヒットしないから北へ行け、沖縄はやめとけ、という当時の東映社長・岡田茂の一声であっさり没《ぼっ》となってしまいます。結局第八作のタイトルは『一番星北へ帰る』（一九七八）に変更され、沖縄とは逆方向の東北地方が舞台となって、いわき市や花巻市でロケが行われました。

その後、第十作『故郷《ふるさと》特急便』（一九七九）では、タイトルバックの一部に沖縄らしき場面が登場しています。赤いハイビスカスや「守禮之邦」の扁額がアップになった後、「那覇15㎞　糸満21㎞」という標識の脇をデコトラが走り抜けていきます。これが現地で撮影されたものかどうかは不明ですが、いずれ桃次郎が沖縄を爆走するのではないか、という期待を抱かせる映像でした。実際に第十一作の企画では再び沖縄ロケの話もあったようですが、残念ながらシリーズは第十作までで終了となってしまいました。

第四十一話　四人目の監督・内村浩和

三十五ミリのオムニバス映画『パイナップル・ツアーズ』（一九九二）は、代島治彦がプロデューサーを務め、琉球大学映研出身の真喜屋力、中江裕司、當間早志がそれぞれのパートを監督した三部構成の作品です。三人の監督は当時まだ二十代半ばから三十代初めと若く、ロケ地となった伊是名島に集まったスタッフやキャストの多くも同じような年代でした。本作は日本映画監督協会新人賞やサンダンス・フィルムフェスティバル審査員特別賞などを受賞し、その後の沖縄における若い世代の映画制作の流れに、大きな影響を与えています。

『パイナップルー』は当初、真喜屋、中江、當間に内村浩和を加えた四人の監督による企画でした。一九六四年生まれの内村は鹿児島県始良《あいら》市出身で、県立加治木高校から琉球大学農学部に進んでいます。琉大映研では二期上に中江がいて、内村は彼の映画作りを手伝い、多くの映研作品にスタッフやキャストとして参加していました。中江が監督した八ミリの自主制作『パナリにて』（一九八六）では、離島に住み着いて絵を描く主役の青年画家を演じています。

大学で留年した内村が五年生の時、真喜屋と當間が新入生として映研に入部しており、内村はちょうどこの二人とOBの中江との間にはさまれる立場でした。内村は在籍六年で琉大を中退しますが、その後も中江の下で映画に関わり、中江の上京後は一時期「映画サークル突貫小僧」の代表も務めています。映研時代には『ちっちゃな淑女との出会い』（一九八四）を撮るなど、八ミリの監督作品も四本ありました。ですから内村は当初、自分も『パイナップルー』の監督をやりたいと強く思っていたようです。

ところが『パイナップルー』の製作に向けて盛り上がる集まりの席で、内村は突然監督辞退を告げました。当時の心境について尋ねたところ、内村は「迷惑をかけたくなかった」と語ってくれました。しばらく監督をしていなかったし、思うような脚本が書けず、構想も湧かなかったというのです。プロの監督への憧れと不安という葛藤の中で身を引く決断をした内村ですが、決して映画が嫌になったわけではありません。『パイナップルー』では裏方として撮影を支え、その後も映画制作や上映活動にいろいろな形で参加しています。映画は決して名声や商業的成功のためだけの場所ではなく、むしろ無邪気に愛し続けることのできる対象であって欲しい……内村の決断はそう示唆していたのかもしれません。

第41話　四人目の監督・内村浩和

第四十二話　高嶺剛の「ラブーの恋」

高嶺剛監督にとって久々の劇映画となった『変魚路』が公開されたのは二〇一七年ですが、その前の劇映画となると十九年もさかのぼらねばなりません。高嶺プロダクションと岡山の市民プロデューサーシステムが共同製作した『夢幻琉球つるヘンリー』（一九九八）という作品がそれでした。この『夢幻琉球つるヘンリー』では物語が動いて行くきっかけとして、大城美佐子扮する民謡歌手の島袋つるが、ガジュマルの気根にはさまっていた映画の脚本を拾います。

脚本のタイトルは「ラブーの恋」でした。つるはその脚本を作者のメカルに届けますが、彼は台湾へと旅立ってしまいます。残されたつるは、高等弁務官との間にもうけた息子のヘンリーとともに、「ラブーの恋」を映画化しようとします。この高等弁務官というのは、米軍統治下の沖縄における最高権力者でした。

批評家の仲里効が『夢幻琉球つるヘンリー』のパンフレットに書き記しているように、高嶺は実際に「夢幻琉球・ラブーの恋」という脚本を書き、仲里らとともに映画化を企図していました。仲里によれば「企画書までしたため、沖縄の企業や行政に働き掛けたがうまくいかず、流産させてしまった」そうです。国際交流基金や文化庁の助成で製作資金の三分の一は確保していましたが、残りの資金を工面できずに諦めた、というのですから何とももったいない話です。

「夢幻琉球・ラブーの恋」の脚本の第一稿が書かれたのは、一九九二年前後と推測されますが、私がそれを読む機会に恵まれたのは一九九六年か九七年だったと思います。手元のメモを見ると第二稿となっていました。読んだのは二十年以上も前のことなので、いささか記憶が怪しいのですが、そのメモによれば物語の主な舞台は本土復帰前のコザでした。主人公の一人で語り部でもあるジェームズは、アメリカ人の父親と沖縄人の母親を持つ美青年という設定です。

アメリカの大学に留学して映画学科に籍を置いたジェームズは、自分の父親が沖縄を統治する高等弁務官だったことを知ります。けれども何者かの催眠術でその記憶を消されたジェームズは、沖縄へと強制送還されました。こうしたジェームズの設定は、後の『夢幻琉球つるヘンリー』の劇中劇「ラブーの恋」でもそのまま引き継がれていました。さらには映画を撮影する子どもたち、モーシー婆さんの映画製作所、コザ暴動など、「夢幻琉球・ラブーの恋」から『夢幻琉球つるヘンリー』に持ち込まれたエピソードは数多くあります。

　脚本タイトルの「ラブー」というのは、ジェームズの異父姉とされるヒロインの名前です。美貌のパンクロッカーであるラブーは、自分が琉歌の上の句を詠み、それにうまく下の句を返した男と関係を持ちます。言うまでもなくこれは、沖縄芝居のヒロインとして知られる伝説の女流歌人・吉屋チルーをモデルにしており、脚本には「流りゆる水に桜花浮きて」という彼女の歌が使われていました。このチルー／ラブーの歌に対して、「琉球原人」的風貌のロッカーであるウーマクが、「色美《ちゅ》らさあてど掬《すく》て見ちゃる」と見事に返し、二人は愛し合うことになります。

　ところがウーマクがラブーの美貌に嫉妬して心を病んだことから、彼女はウーマクのためにカミソリで自らの鼻を削ぎ落します。するとウーマクは元気を取り戻し、醜くなった彼女には見向きもせずに別な女とよろしくやり始めるのです。そう、こちらは真嘉比を舞台とする「逆立ち幽霊」の伝説が元ネタになっています。ラブーは台風の中、海岸の絶壁

映画『夢幻琉球つるヘンリー』より
（高嶺剛、市民プロデューサーシステム提供）

から映画のカメラを抱えて飛び降り自殺しますが、その映像を見た映画製作所のモーシーは、ジェームズの手を借りたトリック撮影だと見抜きました。その後ジェームズは、自らの出自や日米琉との関係に苦しんだ挙句に、米国民政府の前で焼身自殺を遂げます。

一方、沖縄芝居の座長・タルガニーは、ウーマクの嫉妬をネタにした芝居を舞台で上演し、哀れなラブーやジェームズの自殺を実話連鎖劇に仕立てるなど、物語全体の狂言回しといった役どころです。この「夢幻琉球・ラブーの恋」の脚本には胃カメラから八ミリ、ブルーフィルム、三十五ミリに至るまでの多種多様な映像に加えて、沖縄の伝説や伝統、現実の出来事や直面する問題が織り込まれ、かつ有機的にコラージュされていました。

映画研究者の馬場広信によれば、高嶺剛監督は『夢幻琉球つるヘンリー』の完成後も「ラブーの恋」の映画化をめざし、「これを作らずには死ねない」と語っていたということです。おそらくその思いは『変魚路』の完成公開後も変わらないのではないでしょうか。ぜひとも映画化してほしい作品です。

第42話　高嶺剛の「ラブーの恋」

あとがき

本書は二〇一六年七月から二〇一八年九月まで、月二回のペースで沖縄タイムスに連載した「幻の沖縄映画史」をベースに加筆修正し、一部新たな項目を書き下ろしてまとめたものです。あらためて読みなおすと、調査の不十分なところばかりが気になりますが、出版することで一区切りつけることにしました。

もちろん、幻に終わった映画の企画はまだまだあります。情報が少なすぎて今回取り上げるに至らなかったケースについては、継続して調査に取り組み、いずれ機会を見つけて発表したいと思います。また実現しなかった沖縄関連映画の企画について、情報や関連資料をご存知の方がいらしたら、ぜひ教えてください。

沖縄タイムス連載中は学芸部の真栄里泰球、天久仁両記者に大変お世話になりました。また出版に際しては、前著『沖縄劇映画大全』以来気心の知れているボーダーインクの喜納えりかさんが編集を担当してくれました。そのほか連載時の読者の皆さん、情報を寄せて下さった皆さん、調査にご協力いただいた皆さん、写真類の掲載でお世話になった皆さん、本当にありがとうございました。皆さんのご厚意、ご協力には、今後も沖縄映画の研究を続けることでお応えしたいと思います。

二〇二〇年一月　　著者

本文中に明記のない主な参考資料

『海燕ジョーの奇跡』佐木隆三　一九八三　新潮文庫
『映画監督　深作欣二』深作欣二／山根貞男　二〇〇三　ワイズ出版
『映画を愛する』熊井啓　一九九七　近代文芸社
『沖縄県人事録』楢原翠邦　一九一六　沖縄県人事録編纂所
『沖縄県人事録』高嶺朝光　一九三七　沖縄朝日新聞社
『沖縄大観』一九五三　沖縄朝日新聞社
『沖縄野球100年』一九九五　琉球新報社
『オヤケアカハチ―長篇叙事詩―』伊波南哲　一九三六　東京図書
『国際映画新聞（復刻版）』二〇〇五―〇八　ゆまに書房
『三星天洋』一九七二　琉球共和国
『昭和の劇―映画脚本家・笠原和夫』笠原和夫／荒井晴彦／絓秀美　二〇〇二　太田出版
『尖閣諸島―冊封琉球使録を読む』原田禹雄　二〇〇六　榕樹書林

『チバリョ！　沖縄球児』一九九九　日本スポーツ出版社
『ちんこんか―ピンク映画はどこへ行く』野上正義　一九八五　三一書房
『定本　武智歌舞伎　3　文楽舞踊』武智鉄二　一九七九　三一書房
『天皇と呼ばれた男　撮影監督宮島義勇の昭和回想録』宮島義勇／山口猛　二〇〇二　愛育社
『灘千造　シナリオ作品集』灘千造　一九八六　かのう書房
『日本映画監督全集』一九七六　キネマ旬報社
『日本映画作品全集』一九七三　キネマ旬報社
『破滅の美学　ヤクザ映画への鎮魂歌』笠原和夫　一九九七　幻冬舎アウトロー文庫
『松田優作クロニクル』一九九八　キネマ旬報社
「メイキング・オブ『私を愛したスパイ』」（DVD『私を愛したスパイ』特典映像）二〇〇一　20世紀フォックスホームエンターテインメント
『琉球共和国』竹中労　二〇〇二　ちくま文庫
『わが沖縄ノート』佐木隆三　一九八七　徳間文庫
「わが半生の記」川平朝申　一九七三―［八二］（『沖縄春秋』沖縄春秋社　所収）

世良　利和（せら・としかず）

1957年島根県大社町生まれ。津山高校から金沢大学を経て岡山大学大学院修士課程修了。専攻はドイツの文学と映画。福山大学専任講師、株式会社ケーアイツー取締役を務めた後、フリーのライター＆映画批評家として活動。2010年より岡山理科大学、2019年より岡山大学大学院で非常勤講師を兼務。主な著作に『その映画に墓はない　松田優作、金子正次、内田裕也、そして北野武』（2000　吉備人出版）、『沖縄劇映画大全』（2008　ボーダーインク）、いしいひさいちとの共著『シネマ珍風土記　まぁ映画な、岡山じゃ県！』（2013　あきづ文庫）などがある。2016年、明治・大正期の沖縄映画史研究により沖縄県立芸術大学で博士号（芸術学）取得。同大学附属研究所および法政大学沖縄文化研究所研究員。岡山市在住。

ボーダー新書 020
外伝　沖縄映画史　幻に終わった作品たち

2020年1月30日　初版第一刷発行

著　者　　世良　利和
発行者　　池宮　紀子
発行所　　（有）ボーダーインク
〒902-0076　沖縄県那覇市与儀226-3
tel.098-835-2777　fax.098-835-2840
印　刷　　株式会社　近代美術

ISBN978-4-89982-375-9　C0274
定価（本体1,200円＋税）

新しい沖縄との出会いがある

ボーダー新書

『名護親方・程順則の〈琉球いろは歌〉』（安田和男）
『恋するしまうた　恨みのしまうた』（仲宗根幸市）
『沖縄苗字のヒミツ』（武智方寛）
『沖縄人はどこから来たか〈改訂版〉』（安里進・土肥直美）
『壺屋焼入門』（倉成多郎）
『琉歌百景』（上原直彦）
『地層と化石が語る琉球列島三億年史』（神谷厚昭）
『琉球王国を導いた宰相　蔡温の言葉』（佐藤亮）
『琉球怪談作家、マジムン・パラダイスを行く』（小原猛）
『走る日本語、歩くしまくとぅば』（石崎博志）
『増補版　ぼくの沖縄〈復帰後〉史　プラス』（新城和博）
『沖縄しきたり歳時記　増補改訂』（稲福政斉）
『沖縄〈泡沫候補〉バトルロイヤル』（宮原ジェフリー）
『沖縄のまじない』（山里純一）